Egon Brandenburger

Frieden im Neuen Testament

Grundlinien
urchristlichen Friedensverständnisses

Gütersloher Verlagshaus
Gerd Mohn

ISBN 3-579-04089-8
© Gütersloher Verlagshaus Gerd Mohn, Gütersloh 1973
Gesamtherstellung: Graph. Betrieb Ernst Gieseking, Bielefeld
Umschlagentwurf: H.-J. Grießbach, Gütersloh
Printed in Germany

GÜNTHER BORNKAMM

gewidmet

Inhalt

Vorwort

Die Konzeption der vorliegenden Studie ist erstmals innerhalb einer Ringvorlesung der Kirchlichen Hochschule Bethel im Sommersemester 1970 vorgetragen worden. Gegenüber dieser Vorlesung erfuhr der Beitrag vor allem in den Abschnitten III und IV eine erheblich breitere Ausarbeitung und lag so in Wort und Dienst, Jahrbuch der Kirchlichen Hochschule Bethel, N. F. 11, 1971 (1972), S. 21—72, vor. Die Möglichkeit einer separaten Veröffentlichung, zu der mich auch andere ermunterten, habe ich aus mancherlei Gründen gern genutzt, zumal dadurch die Studie auch einem breiteren Leserkreis zugänglich wird. Der hier vorgelegte Beitrag unterscheidet sich von der Jahrbuch-Fassung durch einige Erweiterungen und Umformulierungen sowie durch eine übersichtlichere inhaltliche Gliederung.

Gewiß ist auch ein anderes Vorgehen denkbar, den Beitrag des Neuen Testamentes zum Thema Frieden für die heutige Situation und Diskussion zur Geltung zu bringen: eine unmittelbare und direkte Orientierung an Themen und Hypothesenkonzepten der Friedensforschung. Wenn in dieser Studie das Verfahren gewählt worden ist, zunächst die Analyse und Reflexion antiker Texte in ihren theologiegeschichtlich erfaßbaren Denkbewegungen aufzunehmen, so nicht im Sinne einer schroffen Alternative (beide Verfahrensweisen haben ihre je eigenen Stärken und Gefährdungen) und schon gar nicht auf Grund einer Parteinahme in dem weithin unfruchtbaren, ja unsinnigen Streit um die scheinbar notwendige Wahl zwischen historisch-kritischer und empirischer Methode. Gerade die Analyse und Reflexion des alten Themas „Frieden", wie es als Menschheitstraum im theologischen Denken in Aufnahme und Brechung mannigfach bewegt wurde, vermag als ein Musterbeispiel zu zeigen, daß jene antiken Texte nicht einfach als Lieferanten fester, dogmatischer „Inhalte" zu verstehen sind, sondern als Niederschlag eines bewegten und sehr konkreten Wechselspiels zwischen Welterfahrung und theologischem Denken und umgekehrt. Solche Erkenntnis könnte die unfruchtbare Alternative von historischer und empirischer Perspektive überwinden und trotz aller tiefgreifenden Unterschiede der geschichtlichen Situation ein kritisches Wechselgespräch zwischen Gegenwart und biblischem Zeugnis mit ihren je eigenen Anfragen, Antworten, Hoffnungen und nicht zuletzt auch Verlegenheiten eröffnen.

Die Gründe für die Wahl des Verfahrens der vorliegenden Studie sind weiterhin diese: 1. Der Stand der Erforschung neutestamentlichen Friedensverständnisses (s. Einleitung). 2. Die Wiedergewinnung der Spannbreite und Differenziertheit des Themas Frieden im Urchristentum, das u. a. auch die Erfahrung der Widerständigkeit der kreatürlichen Verfaßtheit von Mensch und Welt mit einschließt. 3. Die Setzung von Kontrapunkten gegenüber der Verengung des Themas, sei es im mehr oder weniger ausschließlichen Rückgriff auf „das" alttestamentliche šalom-Verständnis oder auf das neutestamentliche Versöhnungsthema im Sinne versöhnlichen Friedenshandelns. 4. Schließlich lag mir daran, die theologischen Denkbewegungen als Voraussetzungen für das Verstehen neutestamentlicher Friedensaussagen im Auge zu haben: die uralte — aber in wesentlichen Grundanliegen auch allgemein menschliche — šalom-Erwartung, ihre Krise und Dualisierung im sog. Spätjudentum; insbesondere aber die Begegnung der so veränderten šalom-Erwartung mit den verschieden nuancierten Ausprägungen der theologia crucis und der Rechtfertigungsbotschaft als einer fundamentalen Krisis.

Eine explizite systematische Ausarbeitung der Ergebnisse der Studie ist angesichts des Diskussionsstandes über das Thema Frieden im Neuen Testament vorläufig unterblieben. Doch sind die Voraussetzungen dafür in den reflektierenden Bündelungen jeweils am Ende der Abschnitte II—IX gelegt, in denen auch die Richtung einer kritischen Verarbeitung in Kürze angegeben ist.

Bethel, im Januar 1973   Egon Brandenburger

I. Einleitung

Wenn in der neueren Friedensdiskussion nach dem Beitrag des Neuen Testamentes gefragt wird — keineswegs mehr eine selbstverständliche Frage —, sieht sich der Neutestamentler der Erwartung gegenüber, *das* neutestamentliche Friedensverständnis darzulegen. Aber solche Erwartung ist unerfüllbar.

Zunächst einmal ist festzustellen, daß neutestamentliche Arbeit, soweit das in Veröffentlichungen zum Thema erfaßbar ist[1], auf diesen Problemkreis nicht sonderlich gut vorbereitet ist. Die Beschäftigung mit diesem Thema scheint hier gerade erst in Gang zu kommen. Und es bedeutet keine Geringschätzung der eben erschienenen Beiträge, wenn man feststellt, daß damit die Sachdiskussion eröffnet ist[2] — mehr nicht.

Vor allem aber ist auf den Sachverhalt hinzuweisen, daß es die eine und einheitliche Auffassung vom Frieden im Neuen Testament gar nicht gibt[3]. Die in der neueren Diskussion zumeist zu beobachtende Neigung zur begrifflichen Formalisierung trägt nicht sehr weit. Die Frage nach dem

---

[1] H. Windisch, Friedensbringer — Gottessöhne, ZNW 24 (1925) 240—260; W. Foerster, Art. εἰρήνη , ThW II 405—416; H. Bietenhard, J. J. Stamm, Der Weltfriede im Alten und Neuen Testament, Zürich 1959; teilweise H. Schmidt, Frieden (Themen der Theologie, Bd. 3, hg. v. H.-J. Schultz) 1969; H. Hegermann, Die Bedeutung des eschatologischen Friedens in Christus für den Weltfrieden heute nach dem Zeugnis des Neuen Testaments, in: Der Friedensdienst der Christen, 1970, 17—39; P. Stuhlmacher, Der Begriff des Friedens im Neuen Testament und seine Konsequenzen, in: Studien zur Friedensforschung, Bd. 4, 1970, 21—69; E. Dinkler, Art. Friede, RAC, Lieferung 59/60, 434—505, hier 460—466.

Die alttestamentlichen Beiträge sind zahlreicher und umfassender. Neben eine Reihe breiterer Abhandlungen in den Jahren 1910—1920 sind auch in jüngster Zeit wieder einige monographische Erörterungen getreten; vgl. im einzelnen bei H. H. Schmid, šalôm. „Frieden" im Alten Orient und im Alten Testament, Stuttgarter Bibelstudien 51, 1971.

[2] Vgl. auch P. Stuhlmacher, a.a.O. 21.

[3] Absicht („theologisch reflektierte Begriffsdarstellung", ebd.) und Titel des Beitrags von P. Stuhlmacher „Der Begriff des Friedens im Neuen Testament..." sind, gerade wenn sich der Verfasser zunächst eine begrenzte Aufgabe gestellt hat, mehr als mißverständlich (doch vgl. ebd. 61). Der Beitrag Stuhlmachers unterscheidet sich im übrigen nach Ansatz, Aufbau, exegetischer Methode und vielfach auch in den Ergebnissen von dem hier vorgelegten erheblich; mit einer beiläufigen Auseinandersetzung in Anmerkungen ist da wenig gewonnen.

Umkreis, den Bewegungen und sachlichen Implikationen des Gedankens wird stärker in den Vordergrund zu rücken sein. Angesichts dieser Lage ist es die Absicht des vorliegenden Beitrages, Grundlinien in der Weise herauszustellen, daß verschiedene theologisch-relevante Gedankenkreise und Gedankenbewegungen zum Thema Frieden verfolgt werden.

Verzichtet wird hier bis auf einige Ausnahmen auf die Behandlung des Kreises der *paränetischen Aussagen*[4]. Ihr Verständnis im einzelnen bereitet keine besonderen Probleme. Inhaltlich bieten sie wenig Spezifisches, gehören vielmehr zumeist zum verbreiteten und auch außerhalb geltenden paränetischen Gut. Gesondert behandelt werden in Abschnitt VIII lediglich einige paränetische Aussagen bei Paulus zum Stichwort εἰρήνη. Sie ermöglichen eine begriffliche Erfassung einer wichtigen Ausprägung des Friedensverständnisses und lassen teilweise vor allem einen Einblick in die Verarbeitung dieses Friedensbegriffs vom Zentrum paulinischer Theologie her gewinnen.

Verzichtet wird hier ebenfalls, wenn auch aus anderen Gründen, auf eine eingehende Untersuchung des außerordentlich breiten, fast überwiegenden Vorkommens von εἰρήνη in zahlreichen *formelhaften Wendungen*. Nur ein stark geraffter Überblick dieses Gutes sei hier vorangestellt: In fest geprägten Wendungen erscheint εἰρήνη beim Gruß[5] und bei der Verabschiedung zu gutem Ergehen[6]. Formelhafte Sprache liegt vor in den sichtlich theologisch, und zwar nun auch christologisch reflektierten und erweiterten Grüßen, wie sie vor allem als Eingangs- und Schlußwendungen in der Briefliteratur des Neuen Testaments verwahrt sind[7]. Auch in der Wendung „Weg des Friedens"[8]

---

[4] Wie: untereinander Frieden halten (Mk 9,50; 1 Thess 5,13; Röm 12,18; 2 Kor 13,11); dem Frieden nachjagen o. ä. (Hebr 12,14; 1 Ptr 3,11; vgl. Röm 14,19). Auch die Warnungen vor gegensätzlichem Verhalten und Tun wären hier zu beachten. So erscheint z. B. in Jak 3,18—4,3 das Gegenüber: Streitigkeiten, Krieg — Frieden halten. Innerhalb eines Laster- und Tugendkataloges finden in Gal 5,19 ff die Gegensätze: Feindschaften, Streit, Zwistigkeiten — Frieden, Freundlichkeit u. ä.

Zu vergleichen ist auch die Wendung „Friedensstifter" (οἱ εἰρηνοποιοί) in Mt 5,9 (vgl. οἱ ποιοῦντες εἰρήνην Jak 3,18). Sie könnte hier freilich, im Zusammenhang mit Mt 5,38 ff. 43 ff, einen spezifischen Sinn haben, wenn man die Makarismen, wie mir geboten erscheint, nicht als Einlaßgebote oder christliches Tugendkatalog (so oft, vgl. z. B. RGG³, I 1048) versteht, sondern als vorausgestellte prophetisch-apokalyptische Verheißungsworte an die Jüngerschaft, die sich dem unbedingten Gotteswillen (der „besseren Gerechtigkeit", 5,17 ff) unterstellt und darum jetzt in mancherlei Verzicht und negativen Ergehensfolgen lebt (vgl. unten bei Anm. 62).

[5] Lk 10,5; Joh 20,19.21.26; vgl. Dan 10,19; Tob 12,17.

[6] In Frieden entlassen, geleiten: Act 15, 33; 16, 36; 1 Kor 16, 11; Lk 2, 29. Geh hin in Frieden: Mk 5, 34; Lk 7, 50; 8, 48; Jak 2, 16.

[7] χάρις ὑμῖν καὶ εἰρήνη ἀπὸ θεοῦ πατρὸς ἡμῶν καὶ κυρίου Ἰησοῦ Χριστοῦ: So durchgehend bei Paulus und in den Deuteropaulinen. Oder Abänderungen und parallele Formulierungen: 1 Thess 1, 1; Eph 6, 23; 1 Tim 1, 2; 2 Tim 1, 2; Tit 1, 4. Aber auch außerhalb der paulinischen Sphäre: 1 Petr 1, 2; 5, 14; 2 Petr 1, 2; Jud 2; Apk 1, 4.

[8] Lk 1, 79; Röm 3, 17: wohl der zum Frieden führende Weg.

und in der häufig vorkommenden Formulierung „Gott des Friedens"[9] erscheint traditionell geprägte Sprache.

Bis heute gehört eine Reihe dieser formelhaften Wendungen — dazu der Friedensgruß (Phil 4,7) und der sog. aaronitische Segen (Num 6,24—26) — zum festen liturgischen Bestand des Gottesdienstes: unausgelegt und mit den verschiedensten, oft mehr unbewußt als reflektiert gegenwärtigen Deutungen eher belastet. Eine Untersuchung dieses Gutes wäre lohnend. Sie hätte die Intensität der teilweisen theologischen Uminterpretation solch formelhaft-traditionellen Gutes zu verfolgen. Doch setzt hier zum einen die formelhafte Verwendung im jetzigen Kontext gewisse Grenzen; zum andern wird es gut sein, zunächst einmal einige Grundlinien des urchristlichen Friedensverständnisses zu verfolgen, die solch formelhaftes Gut in der Sache teilweise umgeprägt, aber auch mitgestaltet haben.

[9] Fast durchgehend wieder bei Paulus gebräuchlich: 1 Thess 5, 23 (vgl. 2 Thess 3, 16); 1 Kor 14, 33; 2 Kor 13, 11; Phil 4, 9; Röm 15, 33; 16, 20; außerhalb nur Hebr 13, 20.

II. Εἰρήνη — zum Problem von Wortbedeutung und theologischer Begriffsbestimmung

Vorausgeschickt seien einige Bemerkungen zum Problem der *Begriffs*bestimmung des Wortes εἰρήνη im Neuen Testament, die in der bisherigen Diskussion eine große, ja allzu große Rolle gespielt hat. Versucht man die Bedeutung des *Wortes* εἰρήνη im Neuen Testament möglichst formal zu bestimmen, kommt man bis auf wenige Ausnahmen mit zwei Bedeutungsrichtungen aus.

1. Zum einen ist griechisches εἰρήνη im jeweiligen Textgefüge vielfach durch die Bedeutung des hebräischen שָׁלוֹם im Sinne von gutem Ergehen, Wohlergehen oder Wohlsein zu bestimmen. An der Ausbildung dieser Wortbedeutung hat das Judentum der hellenistischen Diaspora wesentlichen Anteil[10], auch, ja gerade wenn der Übersetzungsprozeß, aus der Sicht des Hebräischen betrachtet, vielfach nicht befriedigt[11]. In diesem Zusammenhang sollte allerdings nicht übersehen werden, daß für den Griechen, der mit εἰρήνη vor allem den Friedenszustand bezeichnet (s. u.), ebendieser Zustand des Friedens in allen Lebensbeziehungen Überfluß oder Wohlstandsfülle geradezu notwendig als seine Segenswirkungen aus sich entläßt[12]. Hinsichtlich dieses Teilaspektes besteht mit dem altorientalisch-

---

[10] Kennzeichnend und durch den gottesdienstlichen Gebrauch dazu auch sprachgestaltend: die breite Übertragung von שלום mit εἰρήνη in der Septuaginta.

[11] Zum Problem aus dieser Sicht vgl. H. H. Schmid, a.a.O. 45.

[12] Sehr aufschlußreich, wie Philemo (4./3. Jh.) diesen Friedenszustand als höchstes Gut preist (vgl. ThW II 399, 15 ff): γάμους, ἑορτάς, συγγενεῖς, παῖδας, φίλους, πλοῦτον, ὑγίειαν, σῖτον, οἶνον, ἡδονὴν αὕτη (scil. εἰρήνη) δίδωσι, Comicorum Atticorum Fragmenta, II 496 f, Fr. 71. Sprechender als viele Belege auch die Statue der Göttin Eirene auf dem Markt in Athen (vermutlich nach 375 v. Chr., Werk des älteren Kephisodotos; vgl. Paus. I 8, 2; IX 16, 2) und mit Nachbildungen davon in etwa übereinstimmend Darstellungen auf Münzen (PW V, 2, 2131 ff): Die Göttin stützt sich mit ihrer Rechten auf das Szepter; in ihrer Linken trägt sie den Ploutos-Knaben, sie blickt zu ihm nieder, er zu seiner Hüterin auf, und beide umfassen zugleich das Füllhorn.

Der Sachzusammenhang zwischen gestiftetem bzw. garantiertem Friedenszustand und Wohlstandsfülle ist also sehr viel unmittelbarer als die Unterscheidung von Inhalt und Folge (so z. B. ThW II 405, 28 ff) zugestehen möchte.

alttestamentlichen Verständnis von שָׁלוֹם [13] also weitgehende Übereinstimmung.

2. Zum andern läßt sich ein Teil des Wortvorkommens von εἰρήνη im Neuen Testament durchaus von seiner ursprünglich im Griechischen vorherrschenden Wortbedeutung her begreifen: als Friedenszustand im Gegensatz zu oder als Ende von Krieg, Feindschaft oder Streit. Diese Wortbedeutung ist im Neuen Testament zwar weniger häufig verwendet als die zuvor genannte, aber immerhin verbreiteter als gemeinhin angenommen wird[14] und vor allem auch in theologisch grundlegenden Zusammenhängen anzutreffen[15]. Hier ist analog zum Vorherigen auf den bisher wenig beachteten Sachverhalt hinzuweisen, daß auch šalom in späteren alttestamentlichen Texten die Wortbedeutung „Frieden" im Gegenüber zum Krieg aufweist[16]. Und dieser Sachverhalt erscheint in spätjüdischen Texten auch übertragen in theologischen Zusammenhängen, etwa in Anwendung auf das Verhältnis Gott — Mensch[17]. Statt diese Wortbedeutung von šalom nur als Nebenprodukt der sogenannten Grundbedeutung zu betrachten[18] oder ihr die theologisch aufgeladene Grundbedeutung des Heilseins gewissermaßen überzustülpen[19], ist nüchtern der Tatbestand festzu-

---

[13] Dazu H. H. Schmid, a.a.O. passim, zusammenfassend 26 f. 40 f. 51. Die Übereinstimmungen finden sich hier vor allem in den paradiesischen Urzeit-Schilderungen, die dann später als Beschreibungen der Endzeit begegnen.

[14] Häufig in den oben (Anm. 4) genannten paränetischen Aussagen. Ähnlich: Gal 5, 22; Jak 3, 18; vgl. Mt 5, 9. Nicht theologisch: Act 7, 26; 9, 31; 12, 20; 24, 2. Theologisch reflektiert: Mt 10, 34 par; Röm 5, 1; Kol 1, 20; Eph 2, 15 f (in beiden Stellen verbal); 4, 3; Joh 14, 27; 16, 33; Apk 6,4.

Sprachlich und teilweise auch vorstellungsmäßig ähnlich: Kol 3, 15, aber auch Röm 15, 13 (als Abschlußbemerkung zu der in 14,1—15,12 erörterten Streitsache!). Wenn hiernach der Frieden oder der Friede Christi die Glaubenden „erfüllen" und „in (ihren) Herzen regieren" soll, so sind das, gemäß dem religionsgeschichtlichen Hintergrund (s. u. Anm. 144 und vgl. auch die Gedankenverbindung von Kol 3,15a zu 15b), Korrespondenzformulierungen zur Vorstellung vom Insein der Glaubenden im Raum des Christusfriedens (Eph 2,15 f oder Joh 16,33). Die Deutung von Röm 15,13 auf den Seelenfrieden (so W. Foerster, ThW II 416, 4—14; Gott schaffe „im Menschen als ‚Heil' den ‚normalen' Zustand der Seele, die ‚in Ordnung' ist") ist also von Kontext und Vorstellungshintergrund her als unzutreffend zu beurteilen.

Man beachte im übrigen, wie die gleiche Vorstellungsweise vom Sein im Herrschaftsbereich des Christusfriedens im Johannesevangelium und in den Deuteropaulinen in der Sache eine höchst verschiedene Auslegung erfahren hat.

[15] Zentral Röm 5, 1; Kol 1, 20 und Eph 2, 15 f; Joh 14, 27; 16, 33.

[16] In der Darstellung ThW II 400—405 (G. v. Rad) spielt das (bis auf 400, 43 ff) kaum eine Rolle; vgl. dagegen das bei H. H. Schmid, a.a.O. 58 f, ausgebreitete Material.

Zu fragen wäre m. E., ob und wieweit שָׁלוֹם als Friedenszustand auf Grund der Besiegung des andringenden Chaos mit seinen Konkretisierungen wie Feinden, wilden Tieren usw., also im Zusammenhang eines übergreifenden Kampfmotivs, verstanden wurde.

[17] Rabbinisches: ThW II 408, 23 ff (W. Foerster); doch vgl. bereits äthHen 1, 7 f.

[18] Diese Tendenz bei C. Westermann, Der Frieden (shalom) im Alten Testament, Studien zur Friedensforschung, Bd. 1, 1969, 146. 162 ff. Vgl. Anm. 19.

15

halten, daß sich die Wörter שלום und εἰρήνη auch hier mit ihren Wortbedeutungen in Teilbereichen decken.

Die für biblisch-theologische Begriffsbestimmung — wie sie etwa seit der Jahrhundertwende vorherrschend ist — charakteristische Feststellung, „daß nicht der griechische Begriff des Wortes (sc. εἰρήνη) im NT vorliegt", weil „seine Hauptbedeutung[20] im NT die des Heiles, und zwar in einer besonders vertieften Auffassung ist"[21], und die ähnliche, daß für verschiedene mögliche Wortbedeutungen der aus alttestamentlich-rabbinischem Denken stammende „letztlich eschatologische Begriff" des Heilseins die „Grundlage" bilde[22], sind eher aus begrifflich formalisierten theologischen Voraussetzungen als aus nuancierten philologischen Beobachtungen zur Wortbedeutung erklärbar[23]. Man wird also die verschiedenen möglichen Wortbedeutungen von εἰρήνη, die teilweise zweifellos durch das griechisch sprechende hellenistische Judentum eine erhebliche Verlagerung erfahren haben, durch die je verschieden nuancierten Kontexte zu bestimmen haben.

Im übrigen fallen die wesentlichen theologischen Entscheidungen des jeweiligen Friedensverständnisses weniger an der Wortbedeutung als solcher als im Bezugsfeld des theologischen Kontextes und seiner Denkbewegung. Dann ist z. B. kritisch zu erwägen, ob das alttestamentliche Verständnis von šalom als gutes Ergehen oder ganzheitliches Heilsein so selbstverständlich, unbefragt und ungebrochen, wie vielfach üblich, als christliches Positivum zu werten ist. Denn erstens ist das mindestens ein gemeinorientalisches Vorverständnis. Zweitens führt gerade der theologisch verstandene Zusammenhang von Tun und Ergehen mit zunehmender Intensität erwachtes kritisches Fragens in eine theologische Krise. Und wenn die apokalyptische Theologie als *ein* Lösungsversuch dieser Krise[24] mit der Transponierung der alten šalom-Erwartung samt ihrer kosmisch-naturhaften Implikationen ein dem Neuen Testament weithin vorgegebener Verstehenshorizont ist, so bedeutet bereits das auch ein erhebliches theologisches Problem — von der Krisis, die sich im Kreuzesgeschehen Jesu Christi zu Wort meldet und in der theologia crucis reflektiert wird, noch ganz abgesehen.

[19] ThW II 410, 25—31: Die „Grundlage" auch dieser besonderen Wortbedeutung sei der „Friede als das ‚Heilsein' des ganzen Menschen, als letztlich eschatologischer Begriff". Das sähe man gern philologisch begründet.

[20] Hier ist wohl vom Ergebnis wortstatistischer Ermittlung her argumentiert.

[21] ThW II 410, 4 ff.

[22] Ebd. 25—31.

[23] Das Gewicht, das den — zudem zum großen Teil späteren — rabbinischen Belegen für die griechisch sprechenden Juden- und Heidenchristen beigemessen wird (ebd. 409, 30 f; 410, 29 ff), wäre ebenfalls zu überprüfen.

[24] Neben der dualisierten theologischen Weisheit als einer anderen Hauptströmung positiver Bewältigung.

III. Frieden als neue Weltordnung
im Rahmen urchristlicher Apokalyptik

Eine im Horizont apokalyptischer Theologie entworfene Konzeption urchristlichen Friedensverständnisses läßt sich im Umkreis messianologischer Äußerungen erheben: Jesus als Davidssproß oder als Sohn Gottes im Sinne des endzeitlichen Messiaskönigs. Man darf solche Konzeption — entsprechend der spätjüdischen Eschatologie — freilich nicht auf den Bezug zu messianologischen Äußerungen beschränken, schon gar nicht etwa auf die titulare Bezeichnung Jesu als Sohn Davids.

Zum Motivkreis des eschatologischen *Königtums* gehört das Thema *Frieden* wesenhaft hinzu, auch wo das nicht direkt oder wegen formelhafter Sprache überhaupt nicht zum Ausdruck kommt[25]. Noch die späte lukanische Vorgeschichte hat ein klares Bewußtsein dieser Zusammenhänge: Nicht von ungefähr tritt neben den Hinweis auf das in der Davidsstadt Bethlehem geborene göttliche Kind als den gesalbten König Gottes der Lobpreis der Engel, die den Frieden über der Erde ausrufen (Lk 2,4. 10 ff; vgl. 19,38). Die Motive von Rettung und Freude (2,10 f) sind ebenfalls traditionell mit der sogenannten Königsideologie und ihrer eschatologischen Umformung fest verbunden[26]. Auch der von den Synoptikern verarbeitete Überlieferungsstoff vom Einzug Jesu in Jerusalem (der Stadt Davids!) schließt das Thema der eschatologischen Friedensstiftung ein: indirekt bei Markus, indem dem Lobpreis der „kommenden βασιλεία Davids" (der jetzt auf den einziehenden Jesus bezogen werden soll) die wunderhaften

---

[25] Zu den alttestamentlichen Voraussetzungen und ihren Zusammenhängen mit der altorientalischen Königsideologie siehe jetzt H. H. Schmid, a.a.O. An spätjüdischen Texten vgl. vor allem PsSal 17 f; TestLevi 18; syrBar 29 und 73 (weiteres bei Bousset/Greßmann, Religion des Judentums, ⁴1966, 259 ff).

Die strenge Unterscheidung dieser Texte im Sinne eines nationalen und eines transzendenten Messiasbildes (ebd. 222 ff und 259 ff) ist in dieser Form zu überprüfen: In Texten der letzten Gruppe tauchen durchaus auch „nationale" Züge auf und in der ersten „transzendente". In altorientalischen wie in entsprechenden alttestamentlichen Texten, auch in den messianischen Weissagungen, liegt beides ineinander. Um so mehr fällt dann die Sonderrolle von TestLevi 18 u. ä. auf.

[26] Für das Weiterleben im Spätjudentum siehe 4 Esra 7, 27 f; 12, 34; PsSal 17, 35. 45; vgl. TestLevi 18, 5. 12.

Anspielungen auf Sach 9,9 f vorausgehen (11,1—10); direkt durch die Titulatur „Sohn Davids" bei Matthäus und den ausdrücklichen Hinweis auf die Sacharja-Weissagung, also den jetzt einziehenden Friedenskönig (21,1 ff); direkt auf andere Weise auch Lk 19,28 ff durch Einfügung des Königstitels und den Friedensruf (v. 38).

Solche Überlieferung setzt das Bekenntnis voraus, daß Jesus der endzeitliche Messiaskönig[27] aus Davids Geschlecht ist. Sie sieht Jesus als Friedenskönig aber betont gerade auch bereits in seinem irdischen Wirken[28]; und die Synoptiker, vor allem Matthäus und Lukas, bringen das in ihrer Darstellung erheblich zur Geltung (s. V). Aber diese Konzeption ist als eine sekundäre Ausweitung zu betrachten. Nach älterer Anschauung erfolgt die Inthronisation zum Sohn Gottes im Sinne des endzeitlichen Messiaskönigs auf Grund der Auferweckung bzw. Erhöhung[29]. Sein Retteramt ist zukünftig, tritt mit dem erwarteten Kommen des Gottessohnes aus den Himmeln in Aktion (1 Thess 1,10). Ist mit der Einsetzung zum Sohn Gottes die machtvolle Herrscherstellung verliehen (Röm 1,4) und damit der Gedanke an die gegenwärtige Herrschaft des Erhöhten jedenfalls auch ermöglicht, so besteht anderwärts kein Zweifel, daß der entscheidende Sieg über die feindlichen Mächte, vor allem über den Tod, noch bis zum Kommen des Gottessohnes aussteht (1 Kor 15, 24 ff. 54 f)[30]. Der Grundgedanke ist der, daß der Sieg des Messiaskönigs über die feindlichen Mächte den Frieden im Sinne des eschatologischen šalom heraufführen wird.

Eine entsprechende Konzeption speziell in Verbindung mit der hoheitlichen Kennzeichnung Jesu als Sohn Davids läßt sich für die Frühzeit kaum überzeugend nachweisen. Die Ankündigung der Geburt Jesu Lk 1,32 f dürfte dem archaisierenden Stil des Evangelisten zuzuschreiben sein. Der Lobgesang des Zacharias ist ein in Täuferkreisen überarbeitetes jüdisches Tra-

[27] Solche Terminologie ist freilich mißverständlich, sofern Jesus die gängige (wenn auch teilweise erheblich modifizierte) jüdische Erwartung eines realistischen Königtums mit entsprechenden politisch-kriegerischen Auseinandersetzungen nicht erfüllt hat; aber sie ist textlich und sachlich nicht zu vermeiden. Die Abgrenzung gegenüber der jüdischen („politisch-nationalen") Erwartung läßt allzu häufig in Vergessenheit geraten, daß Jesus gerade als eschatologischer Friedenskönig eine βασιλεία hat bzw. ausübt und den Kampf mit feindlichen Mächten führt — wenn auch jetzt in einem ganz anderen Sinne (s. u.).

[28] Man darf solches Verständnis mindestens für den zugrunde liegenden Stoff (z. B. von Mk 11, 1 ff und der Vorgeschichten bei Mt und Lk) nicht durch die Erhöhung als limitiert betrachten, etwa nach der späten Reflexion Mk 12, 35 ff (der jetzt häufig gebrauchte Begriff der „Zweistufenchristologie" könnte solches Mißverständnis nahelegen). Der davidische Messiaskönig wird zum Kyrios erhöht, aber das hebt jene andere Funktion nicht auf (vgl. die Konzeption der Apk).

[29] Röm 1, 3 f; vormarkinischer Stoff von Mk 1, 9—11; 9, 2—8 (zur Diskussion vgl. P. Vielhauer, Erwägungen zur Christologie des Markusevangeliums, in: Zeit und Geschichte, Dankesgabe an R. Bultmann zum 80. Geburtstag, 1964, 161 ff); Hebr 1, 5 ff u. a.

[30] Auf weitere Differenzierung kann in diesem Zusammenhang verzichtet werden.

ditionsstück[31]. Die Aussagen über Jesus als Davidssproß in Apk 3,7; 5,5; 22,16 sind zweifellos gerade in jenem gesuchten eschatologischen Kontext verankert, aber der traditionsgeschichtlichen Rekonstruktion eines frühen Verständnisses Jesu speziell als endzeitlicher Davidssohn sind in diesem fortgeschrittenen Stadium erhebliche Grenzen gesetzt; wohl aber ist der Kontext der Apokalypse Johannes in motivlicher Hinsicht für den urchristlichen Verstehenshorizont des eschatologischen Messiaskönigtums Jesu von Belang. Die vorpaulinische Formel Röm 1,3 f. könnte sogar zum Anlaß werden, jene Suche endgültig aufzugeben und eine andere Lösung des Problems ins Auge zu fassen.

Diese in jüngster Zeit vielverhandelte Formel[32]

τοῦ γενομένου ἐκ σπέρματος Δαυίδ   κατὰ σάρκα
τοῦ ὁρισθέντος υἱοῦ θεοῦ ἐν δυνάμει   κατὰ πνεῦμα ἁγιωσύνης
                                         ἐξ ἀναστάσεως νεκρῶν

wird nun freilich zunehmend in folgendem Sinne verstanden: Die Wendung γενόμενος ἐκ σπέρματος Δαυίδ komme einem Messiasbekenntnis gleich. Zwei vollgültige eschatologische Prädikationen träten konkurrierend gegenüber. Da das Gegenüber κατὰ σάρκα — κατὰ πνεῦμα ἁγιωσύνης mit ‚in der Sphäre des Fleisches — in der Sphäre des heiligen Gottesgeistes' zu interpretieren sei, liege eine Zweistufenchristologie mit einer bestimmten Rangfolge vor. Die jüdisch verstandene Messianität des ersten Gliedes werde als niedrigere Stufe, als ungenügend überboten, gleichsam degradiert. Die vorpaulinische Formel habe also bereits ein ganzes Stück urchristlicher Dogmengeschichte hinter sich[33].

Diese Interpretation unterliegt aber erheblichen Bedenken.

1. Das Verständnis von κατὰ σάρκα bzw. πνεῦμα im Sinne einer Sphäre ist schwerlich möglich, zumal nach γεν. ἐκ σπέρματος Δ. 1 Tim 3, 16 ist nur scheinbar naheliegend, dort wird auch ausdrücklich eine räumliche Formulierung verwandt (ἐν . . .). Röm 1, 3 f. ist mit κατά die Beziehung oder Maßgabe (bezüglich, gemäß) ausgedrückt[34].

2. Mit γενόμενος ἐκ σπέρματος Δαυίδ wird Jesus natürlich nicht als irgendein Abkömmling aus davidischem Geschlecht gekennzeichnet. Aber diese Aussage steht hier auch nicht separat, in sich geschlossen, sondern ergibt erst mit 1, 4 zusammen das Ganze (zweierlei Hinsicht: κατά, nicht zwei verschiedene Bereiche). Hier wird verknüpft und in der Verknüpfung zu-

---

[31] Der Rekonstruktionsversuch von diesem Text her bei F. Hahn, Christologische Hoheitstitel, FRLANT 83, 1963, 246 ff, ist mit Recht kritisiert worden: E. Lohse, ThW VIII, 489 Anm. 47; eingehend C. Burger, Jesus als Davidssohn, FRLANT 98, 1970, 128 ff.

[32] Ein zusammenfassender Bericht bei K. Wegenast, Das Verständnis der Tradition bei Paulus und in den Deuteropaulinen, WMANT 8, 1962, 70 ff.

[33] So zuletzt zusammenfassend C. Burger, a.a.O. 25 ff, insbesondere unter Aufnahme von Formulierungen E. Schweizers.

[34] Vgl. W. Bauer, Wb., Sp. 806: „in Hinsicht auf d. Fleisch, d. h. menschl. Abstammung nach".

gleich distanziert: Der Davidssproß Jesus wird königlicher Sohn Gottes —
aber kraft Auferstehung und damit gemäß göttlichem Pneuma; als himmlischer Erhöhter und eben nicht als irdischer König.

3. Entsprechend sagt erst v. 4, aber noch nicht v. 3 etwas über die Funktion
   aus.
4. Das interpretierende κατὰ σάρκα verbietet schlechterdings, in v. 3 eine
   Hoheitsaussage zu finden. Fleisch und Geist stehen hier gegenüber wie
   Kraftlosigkeit und Kraft, Beschränktes und unbedingt Gültiges.
5. Das verbietet auch den Vergleich von v. 3 mit der synoptischen Darstellung Jesu als Davidssohn[35]. Als solcher wirkt er ja gerade ἐν δυνάμει.
6. Ist ein Messiasbekenntnis Jesu als Davidssohn in vorpaulinischer Zeit
   überhaupt anders denkbar als in Analogie zu 1, 4? Aber warum dann
   eine solche Unterordnung eines parallelen Bekenntnisses? Wegen Abgrenzung gegenüber einer jüdisch verstandenen Messianität Jesu? Ein merk-
   würdiger Umweg. Denn es ist doch viel eher einzusehen, daß sich das
   hellenistische Judenchristentum, aus dem diese Formel stammen dürfte,
   mit ihr von vornherein gegenüber dem jüdischen Mißverständnis abge-
   grenzt hat.

Die vorpaulinische Formel wird dann so zu verstehen sein: Kreise des
hellenistischen Judenchristentums bekannten Jesus als endzeitlichen
Messiaskönig und wählten dafür die Titulatur ὁ υἱὸς τοῦ θεοῦ[36]. Das mag
ihrem Verstehenshorizont näher gelegen haben und war durch die gottes-
dienstliche Bekanntschaft mit Ps 2 gedeckt. Da das Bekenntnis zum
Messiaskönig Jesus nach verbreitetem Glauben seine Davidssohnschaft voraussetzt, wurde an diese Erwartung, die nun als erfüllt galt, angeknüpft:
Der Davidssproß Jesus ist kraft Auferstehung von den Toten zum Sohn
Gottes qua endzeitlichem Messiaskönig inthronisiert worden. Die Verknüpfung mit der gängigen messianischen Erwartung schließt in der Formel aber zugleich eine wesentliche Distanz ein: Ist der davidische Messiaskönig Jesus kraft Auferweckung bzw. Erhöhung in sein Amt eingesetzt
worden, so führt er es als himmlischer, nicht als irdischer König.

Die vorpaulinische Formel führt also, ihrem Alter entsprechend, eher in
die Anfänge christologischer Entwicklung im hellenistischen Judenchristentum als zu deren vorläufigem Abschluß. Sie erlaubt die weitere Interpretation in verschiedener Richtung, statt sie abzuschneiden[37]. Wo die

---

[35] Wie bei C. Burger, a.a.O. 64 ff. Burger übersieht auch, daß Mk 12, 35 ff nicht
Davidssohn und Sohn Gottes, sondern Davidssohn und Kyrios gegenüber stehen.

[36] Soweit die spätjüdischen Texte uns zu sehen erlauben, scheint die *titulare* Kennzeichnung des Messiaskönigs als Sohn Gottes eine christliche Bildung zu sein. Daß
der König — nach altorientalischem und alttestamentlichem Vorverständnis —
als Sohn Gottes adoptiert wird, ist in *motivlicher* Hinsicht aber bekannt geblie-
ben. Vgl. E. Lohse, ThW VIII 361—363.

[37] Die abgelehnte Deutung wird auch kaum überzeugend darlegen können, wie die
eschatologische Konzeption der Davidssohnschaft Jesu in der Apk zustande
kommt, wenn bereits die Formel, parallel zum späteren synoptischen Befund,
die Davidssohnschaft Jesu auf das irdische Wirken Jesu beschränkt.

nötige Abgrenzung zum jüdischen Messiasverständnis schon Vergangenheit ist und andererseits das Interesse am irdischen Jesus in den Vordergrund rückt, kann das hoheitliche Verständnis der irdischen Davidssohnschaft Jesu Platz greifen sowie der titulare Gebrauch von υἱὸς Δαυίδ [38]. Das Verständnis, daß der *Davidide* Jesus zum endzeitlichen Messiaskönig inthronisiert wurde, erlaubt andererseits später die christologische Interpretation der Apokalypse Johannes.

Mit solchen Wandlungen verändert sich auch das Verständnis des Messiaskönigs als Bringer und Garant des Friedens. Zwar betrifft das in diesen Interpretationssträngen nicht notwendig den ganzen Bedeutungsumfang des Verständnisses vom Frieden selbst; hier bleibt in vielem das entsprechende alttestamentlich-jüdische Vorverständnis strukturell konstant, das seinerseits mit dem altorientalischen eng verwoben ist. Aber es ist ja nicht nur eine pure zeitliche oder formale Variante, ob die Friedensstiftung als gegenwärtig oder eschatologisch-zukünftig begriffen wird. Und ob die Gegenwart mehr oder weniger als heilsleer, dem eschatologischen Frieden entgegenharrend, oder von der Frieden stiftenden Macht Jesu Christi (auch) gegenwärtig bestimmt erfahren wird, kann höchst verschiedene konkrete Verhaltensweisen und Wirkungen zur Folge haben.

Selbstverständlich ist der Gottessohn der vorpaulinischen Formel, sofern sie den Davidssohn Jesus als himmlischen Messiaskönig inthronisiert sieht, unausgesprochen auch als Bringer des eschatologischen Friedens verstanden. Ausdrücklich weist neben der Inthronisation selbst nur die Wendung ἐν δυνάμει [39] auf die verliehene herrscherliche Machtstellung hin,

[38] Erstmals nachweisbar als redaktionelle Einfügung in Mk 10, 46—52.
  Für die Frage nach der Entwicklung der Davidssohn-Christologie ist dann weiter dies zu bedenken: Wir sehen bei den Synoptikern, vor allem bei Mt und Lk, in jenes Stadium hinein (s. V), in dem der synoptische Stoff stark unter den Gesichtspunkt der Davidssohnschaft Jesu als des Königs der eschatologischen Heilszeit gerückt wird. Bei Mk geschieht das neben der Einfügung von „Sohn Davids" in 10, 47 f eher unter der Prädikation Jesu als Sohn Gottes (1, 9 ff; 9, 2 ff; 15, 39). Doch ist das insofern ein paralleler Vorgang, als hier das Verständnis Jesu als Sohn Gottes im Sinne des eschatologischen Messiaskönigs die Schicht der ϑεῖος ἀνήρ -Tradition mit seinem spezifisch anderen Verständnis der Gottessohnschaft überformt (vgl. zu letzterem P. Vielhauer, a.a.O. 165). Wenn man aber in solcher Weise den relativ späten Vorgang der Uminterpretation auf den Irdischen beobachten kann (dazu jetzt auch C. Burger, a.a.O. 42 ff), läßt sich — auch wenn man (was Burger zu wenig in Rechnung stellt) für den redaktionsgeschichtlich faßbaren Vorgang Vorstufen veranschlagen muß (Traditionsstoff von Mk 11, 1 ff und die Vorgeschichten bei Mt und Lk, vgl. auch etwa Mt 11, 2—6 par und s. u.) — folgender Schluß ziehen: Die hoheitliche Kennzeichnung und zumal die Titulatur Jesu als Sohn Davids ist überhaupt ein relativ später Vorgang, und zwar ist sie sekundär über das Verständnis als messianisch-königlicher Sohn Gottes zustande gekommen, das als solches (normalerweise, d. h. abgesehen von der priesterlichen Variante) die Behauptung der irdisch-genealogischen Davidssohnschaft und damit immer schon eine gewisse Würdebezeichnung einschloß.
[39] Sollte diese Wendung paulinischer Zusatz sein (wie jetzt häufig behauptet wird, aber keineswegs sicher ist), so erläutert sie doch den Sinn des Inthronisationsaktes zutreffend.

die damit zugleich die Sieghaftigkeit dieses himmlischen Königs andeutet. Zwar bleibt offen, wie im einzelnen und wann dieser Sieg endgültig erfochten wird, doch wird man etwa nach 1 Thess 1,10 oder 1 Kor 15,24 ff nur in Nuancen schwanken können. Aber jedenfalls dürfte auch hier der Gedanke im Hintergrund stehen, daß erst der vollendete Sieg des Gottessohnes den šalom endzeitlich zur Wirkung bringt.

Über motivlichen Kontext und Grundgedanken dieser Konzeption wüßte man gern mehr, sieht sich aber zunächst folgender Schwierigkeit gegenüber: Die in Frage kommenden frühen Texte sind, wie wir bereits oben gesehen haben, zumeist formelhaft-knappe Bekenntnisformulierungen. Dem Rekonstruktionsversuch von spätjüdischen Voraussetzungen her sind hier aus verschiedenen Gründen gewisse Grenzen gesetzt; nicht zuletzt auch dadurch, daß die Erwartung eines Messiaskönigs auf Grund der Reflexion des Christusgeschehens teilweise erheblich umgeformt wurde. Hier läßt sich nun weiterkommen, wenn man die in der Johannesapokalypse stark durchschlagende Anschauung von Jesu eschatologischem Messiaskönigtum[40] mit dem motivlich zugehörigen Kontext beizieht. Auf die Heranziehung spezieller Ausprägungen, wie den Gedanken des messianischen Zwischenreiches (20,4 ff), das Braut-Bräutigam-Motiv (21,2 ff) u. ä., sollte dabei verzichtet werden. Es bleibt die wichtige Beobachtung, daß auch ohne solche Einzelheiten ein ziemlich geschlossener Motivkomplex sichtbar wird, dessen lange Geschichte sich bis in die Zeit des Urchristentums einigermaßen verfolgen läßt: Aufnahme der altorientalischen sog. Königsideologie und Anwendung auf Jahwe und das Königtum Judas; Umformung in die Erwartung eines zukünftigen Messiaskönigs als Friedensbringer, wohl in nachexilischer Zeit[41]; differenzierte Weiterbildung in verschiedenen Strängen spätjüdischer Theologie. Zunächst sollen die typischen Motive der eschatologisch umgeformten und weitergebildeten „Königsideologie"

---

[40] Die Apk hat dafür folgende Titel und Würdebezeichnungen (eine Beschränkung auf die Titel wäre zu eng): 1. Jesus ist der Gesalbte. Hymnisch-proleptisch wird er im Himmel als der Gesalbte proklamiert, dem die Herrschaft übertragen ist (11, 15; 12, 10) und von seiner eschatologischen Herrschaft gesprochen (20, 4. 6). 2. Für Jesu Davidssohnschaft finden sich verschiedene hoheitliche Bezeichnungen: Wurzelsproß Davids (5, 5; 22, 16), Inhaber des Schlüssels Davids (3, 7, vgl. 1, 18), Geschlecht Davids (22, 16), der helle Morgenstern (ebd., herrscherlich-messianisch verstanden: E. Lohse, NTD 11, 1966, 110). 3. Ganz parallel zur davidischen Selbstbezeichnung 3, 7 stellt sich Jesus in 2, 18 als endzeitlichen Sohn Gottes vor. In seiner Funktion als endzeitlich-davidischer Messiaskönig ist Jesus „König der Könige" (17, 14; 19, 16; vgl. 1, 5).
Von Röm 1,3 f her gesehen ist folgendes zu konstatieren: Die Synoptiker lassen die Anwendung der Davidssohnschaft auf den *Irdischen* erkennen, auch ihre Beschränkung auf diese Periode (Mk 12, 35—37 parr). Die Apk hingegen verwahrt das *endzeitliche* Verständnis des davidischen Messiaskönigs und belegt nun auch den *Himmlischen* und Kommenden mit hoheitlichen Aussagen, die seine Davidssohnschaft kennzeichnen. Es liegt in der Linie dieser Ausweitung, daß die Funktion des davidischen Endzeitkönigs der Apk nicht auf das messianische Zwischenreich beschränkt ist (vgl. dagegen 4 Esra 7, 29!), sondern auch im neuen Äon Bestand hat (21, 22 f; 22, 1. 3. 13 f. 16).
[41] Jes 9, 2—7; 11, 1—9; Sach 9, 9 f; Ezech 34, 23—31; 37, 24 ff u. a.

22

aufgeführt werden, wie sie sich in der Johannesapokalypse finden[42]; nach einer Zwischenüberlegung, die den speziellen Gedankenkreis der Messiaserwartung auch überschreitet, ist dann nach dem Grundgedanken dieser eschatologischen Friedenskonzeption, wie sie auch anderwärts vorausgesetzt werden kann, zu fragen.

1. Der endzeitliche Messiaskönig führt Krieg gegen die Feinde — die primär als Feinde Gottes und dann auch des Gottesvolkes, jetzt der Glaubenden, verstanden sind — und überwindet sie (12,5; 17,14; 19,11 ff; vgl. 20,7 ff)[43], und er richtet in Gerechtigkeit (19,11)[44].

2. Eng damit verbunden (durch das Motiv der Verführung) und doch wegen seiner spätjüdisch-apokalyptischen Fortbildung gesondert zu nennen ist die Besiegung und Vernichtung Satans samt seiner Engelmächte (proleptisch 12,7 ff; endzeitlich 20,1 ff. 10)[45].

3. Der vollzogene Sieg über die Feinde und die widergöttlich-chaotischen Mächte läßt den šalom zur Geltung und Wirkung kommen (20,4—6; 21,1—22,5); er ist garantiert für die Dauer der Herrschaft (Thronmotiv: 3,21; 20,4; 21,5 f; 22,1. 3)[46].

4. Der Herrschaftsbereich oder das Staatswesen des Endzeitkönigs ist Jerusalem als Davidsstadt, freilich nun das himmlisch-transzendente, aber herabgesenkt auf die verwandelte neue Erde (21,2. 9 ff). Damit verschlungen ist das Motiv des Paradieses (22,1 ff)[47], so daß nun von beidem die Segenswirkungen des šalom ausgehen: Fruchtfülle (22,2)[48], Lebenswasser und Lebensbaum (2,7; 7,17; 22,1 f. 14)[49], die natürlich ewiges Leben

---

[42] In der folgenden Zusammenstellung verfahre ich so: Für die altorientalischen und alttestamentlichen Grundlagen setze ich die Darlegungen bei H. H. Schmid (s. o. Anm. 1) voraus. In den Anmerkungen verweise ich darüber hinaus vor allem auf die spätjüdischen Weiterbildungen als Voraussetzungen für die Motive der Apk.

[43] PsSal 17, 21 ff; 4 Esra 12, 31 ff.

[44] Jes 11, 4 f; PsSal 17, 26—29.

[45] Das Motiv vom Kampf mit dem Chaosdrachen, das der Apk vorschwebt, ist an sich sehr alt. Man muß aber beachten, wie es in der Apokalyptik erneut aufgegriffen und nuanciert wird. Im Zusammenhang des untersuchten Motivkomplexes erscheint es TestLevi 18, 12 (messianischer Priesterfürst als Friedensbringer); vgl. Röm 16, 20.

[46] Dies Motiv hält sich wie das erste in allen Verwandlungen durch, variiert wird es durch die Eschatologie und teilweise durch die apokalyptische Dualisierung.

Zu beachten ist, daß das Motiv des Krieges mit den Feinden als Repräsentanten der Chaosmächte und ihre Niederwerfung dem Friedensthema nicht widerspricht (vgl. Schmid, a.a.O. 20. 42. 89 f), jenes vielmehr als Voraussetzung für dieses gedacht ist. Das zeigt auch noch die Abfolge der eschatologischen Ereignisse in Apk 19—22 ganz klar (vgl. noch 1 Kor 15, 24 ff; Röm 16, 20).

[47] Auch die Paradiesesmotive sind alt in diesem Motivkomplex, altorientalisch und alttestamentlich durchgehend nachweisbar. Das Ineinander von himmlischer Stadt und Paradies liegt auch 4 Esra 7, 26 und 8, 52 vor.

[48] SyrBar 29, 5—8.

[49] TestLevi 18, 10 f; 4 Esra 8, 52.

spenden; Tränen, Leiden und Tod wird es nicht mehr geben (7,17; 21,4)[50].

5. Diesen auch naturhaft zu verstehenden Verwandlungen treten kosmische Veränderungen zur Seite: Sonne und Mond werden nicht mehr benötigt (21,23), und die Nacht wird es nicht mehr geben (22,5), stattdessen werden die Doxa Gottes und das Licht des himmlischen Messiaskönigs Licht spenden (ebd.). Ja, die erste Schöpfung verschwindet und wird ersetzt durch eine neue, himmlische Welt (21,1. 4 f)[51].

6. Bösestun ist ausgeschlossen (21,27)[52], entsprechend das Fluchgeschehen (22,3 a); die Gottesknechte werden unter der Herrschaft Gottes und seines Messiaskönigs in Gehorsam dienen (22,3 b)[53].

7. Die Völker und ihre Könige kommen mit ihren Schätzen in die Stadt des Endzeitkönigs (21,24—26), d. h. sie vollziehen die Huldigung als Zeichen ihrer Unterordnung unter das in diesem Herrschaftsbereich Gottes und seines Messiaskönigs geltende, den Frieden garantierende Recht (vgl. „in ihrem Lichte wandeln")[54].

Nicht alle Einzelheiten dieses Motivkomplexes sind in der Apokalypse unmittelbar mit einem eschatologischen Eingreifen des Messiaskönigs Jesus verknüpft[55]. Man sollte das indessen nicht überbewerten, da das end-

---

[50] 4 Esra 8, 53 f; syrBar 29, 7; 73, 2 f.

[51] 4 Esra 7, 31. 113; vgl. 7, 50; syrBar 49, 3. Die traditionellen (s. Anm. 47), wenngleich in der Apokalyptik variierten Paradiesesschilderungen sind durch den Gedanken der zwei sich ablösenden Welten erheblich umgestaltet worden.

[52] Jes 11, 9; PsSal 17, 40 f; TestLevi 18, 9; syrBar 73, 4 f.

[53] PsSal 17, 32; 18, 8 f. Das Neben- und Ineinander von naturhaft-kosmischen Veränderungen und Rechttun oder neuem Gehorsam ist traditionell und beruht auf sehr alten Denkvoraussetzungen: Im Verständnis von šalom als Weltordnung steht beides nebeneinander, ebenso in königsideologischen Texten; die Prophetie scheint insbesondere den Gedanken der Sünde einzubringen (z. B. Jes 59), die Apokalyptik baut das aus zu einem universalen Ineinander, verbunden mit dem Äonendenken.

[54] PsSal 17, 30 f; vgl. Jes 2, 2—5; 60 (ohne Messiaskönig). In königsideologischen Texten ist Vernichtung oder Völkerwallfahrt zur Unterwerfung zumeist eine Alternative. Der Apk schwebt wohl beides vor (vgl. 19, 15 ff; 20, 7 ff), so daß an ein differenziertes Verhalten der Völkerwelt zu denken wäre. Das ist auch Jes 60 (vgl. v. 4—11 mit 12) vorausgesetzt, einem Text, der Apk 21, 23 ff deutlich beigezogen ist. Doch beachte: dieser Text und ähnliche sind nicht als solche der Ausgangspunkt für die Apk, sie kommen vielmehr unter einer lebendig vorhandenen theologischen Konzeption erneut zur Sprache (Jes 60 übrigens recht sinnvoll, denn ein Gedankengefüge wie Jes 59 f gehört u. a. mit zu den historischen Voraussetzungen bei der Ausbildung jener Konzeption, auch wenn hier der Gedanke eines Messiaskönigs nicht auftaucht).

[55] Eindeutig ist seine Rolle beim eschatologischen Krieg (19, 11 ff), in der endzeitlichen Friedensherrschaft (im messianischen Zwischenreich, 20, 4 ff) und in bezug auf das Lebensbuch als Einlaßurkunde oder Bürgerliste für die Teilnahme am endgültigen Friedenszustand in der vom Himmel kommenden paradiesischen Gottesstadt (21, 27); mittelbar auch sonst beim eigentlichen Endgeschehen durch die Verbindung von Davidsstadt (= Braut) und Messiaskönig-Lamm (= Bräuti-

zeitliche Wirken Gottes und das seines Messiaskönigs zweifellos parallel laufen und als Einheit gedacht sind[56].

Die dargelegte apokalyptische Konzeption des endzeitlichen Friedens ist freilich erheblich breiter anzusetzen als das textlich nachweisbare Vorkommen Jesu als endzeitlicher Messiaskönig. Auch ohne diese direkte Verbindung liegt jene Konzeption vielfach im Neuen Testament vor[57]. Als Beispiel möge hier eine Zusammenstellung von Einzelmotiven aus paulinischen Texten dienen, die in Entsprechung zu dem an Hand der Apokalypse Dargelegten leicht als Motivkomplex zum umfassenden šalom-Verständnis erkennbar ist: Christus hat als der Gottessohn die Herrschaft über die gottfeindlichen Mächte inne und wird die endgültige Vernichtung ihrer Machtausübung herbeiführen (1 Kor 15,24 f). Höhepunkt und Endstadium des Sieges des Gottessohnes wird die Ausschaltung des Todes sein (15,26 und 54 f)[58], und zwar einschließlich der Beseitigung der Sterblichkeit (15,50 ff u. ö.). Der Gott des Friedens, d. h. der Stifter und Garant des eschatologischen Friedens, wird die Macht Satans in Kürze unter den Füßen der Glaubenden zermalmen (Röm 16,20). Dem entspricht der Gedanke, daß die Glaubenden an der endgültigen Herrschaft teilhaben werden (1 Kor 4,8; Röm 5,17)[59]. Als weitere typische Merkmale des endzeitlichen šalom nennt Röm 14,17, hier als Wesensbestimmungen der βασιλεία τοῦ θεοῦ, Recht, Frieden und Freude. In Röm 2,6 ff erscheinen ἀφθαρσία, ζωὴ αἰώνιος und εἰρήνη, ebenso δόξα (ebd. u. ö.), als parallele eschatologische Heilsgüter. Und daß mit der Erwartung der Doxa für die Gottessöhne die Befreiung der gesamten κτίσις von der Vergänglichkeit verbunden ist (8,19 ff), zeigt nochmals in aller Klarheit, wie das Ganze auch hier am zugleich kosmisch-naturhaft gedachten Rahmen urchristlich-apokalyptischer Friedenserwartung partizipiert.

Nach dieser Zwischenüberlegung seien nun die leitenden Grundgedan-

gam; 21, 2 ff. 9 ff). Die vorläufige Fesselung Satans ist Werk eines vom Himmel kommenden Engels (20, 1 ff), das Weitere zumeist unbestimmtes Geschehen vom Himmel her.

[56] Die Garanten der endgültigen Herrschaft und damit des unverbrüchlichen Friedens sind eindeutig Gott und sein als Lamm (interpretatio christiana!) erscheinender Messiaskönig gemeinsam (21, 22 f; 22, 3; vgl. vorausschauend 11, 15; 12, 10 u. ö.). Zu beachten ist ferner dies: Die Schlüsselfunktion des Engels 20, 1 kommt nach 1, 18 (vgl. 3, 7) eigentlich dem Davidssproß zu; und zahlreiche Gaben der endgültigen Friedensherrschaft sind zuvor als Gaben des Messiaskönigs Jesus angesagt, so das Essen vom Lebensbaum (2, 7; vgl. 22, 2) und vom verborgenen, d. h. himmlischen Manna (2, 17), das Hinführen zu den Wasserquellen eschatologischen Lebens (7, 17, Hirtenbild!), die Einbürgerung in die Himmelsstadt (3, 12).

[57] Eine gewisse Analogie mögen alttestamentliche und spätjüdische Eschatologie bieten, die hierbei z. T. auch ohne den Gedanken eines messianischen Königs auskommen. Doch gehört die christologische Vermittlung im Neuen Testament zur unbestrittenen Voraussetzung, auch wo sie vorstellungsmäßig nicht direkt und nicht oder nicht mehr unter dem Aspekt des Messiaskönigs erscheint.

[58] In 15, 24 ff fungiert auch der Gottessohn als eschatologischer König (vgl. Röm 1, 4), übergibt die vollendete Herrschaft dann aber an Gott (v. 28). 15, 57 zeigt den Vermittlungsgedanken: Gott gibt den Sieg „durch" Christus.

[59] Vgl. Apk 3, 21; 20, 4. 6; 22, 5; Mt 19, 28; Lk 22, 29 f u. ö.

ken formuliert. Vorab: Ob nun Gott selbst oder sein Messiaskönig Frieden bringt, immer ist endzeitlicher Frieden in urchristlich-apokalyptischer Sicht durch das Jesusgeschehen vermittelt. Insofern trägt diese Unterscheidung im Urchristentum ungleich weniger aus als in alttestamentlich-jüdischer Theologie. Grundlage der christologischen Interpretation ist nun dies: Kraft Auferweckung bzw. Erhöhung gilt Jesus — im Blick auf ein bestimmtes, vernehmbar vertretenes Gottesverhältnis, wohl insbesondere seines Gehorsams Gott gegenüber[60] — als von Gott weltweit ins Recht gesetzt. Dabei sieht ihn die Gemeinde zugleich inthronisiert als Messiaskönig und damit als in Bälde endgültig wirkenden Stifter und Wahrer endzeitlichen Friedens. Gestiftet wird dieser Friede durch den endzeitlichen Sieg über alles gottwidrige Wesen, seien es feindliche Mächte, seien es deren verschiedene geschichtliche Konkretisierungen, und die im Zusammenhang damit sich öffnende oder erscheinende himmlische Gotteswelt. Garantiert wird dieser Frieden durch die nunmehr unbestritten geltende und umfassend zur Wirkung kommende Herrschaftsausübung und Rechtswahrung Gottes und seines Messiaskönigs bzw. durch tätiges Einstimmen der glaubenden Menschheit in diese heilsame Herrschaft, die als solche den Frieden aus sich entläßt. Zu den Voraussetzungen des Ganzen gehört insbesondere die Außerkraftsetzung der verführenden Macht Satans oder der Sünde samt ihren Fluchwirkungen, die die schon immer von Gott her andringende Weltordnung des Friedens aufhalten, am wirksamen Erscheinen hindern[61]. Sofern nach apokalyptischer Theologie die Schöpfung durch Sünde oder Einwirken gottfeindlicher Mächte und entsprechender Fluch- oder Straffolgen *auch* in ihrem ontologischen Gefüge als pervertiert gilt, ist die Erwartung des endzeitlichen šalom zugleich mit dem Gedanken einer neuen himmlischen Welt und entsprechender naturhaft-kosmischer Veränderungen verknüpft.

Urchristliche Apokalyptik denkt also im Erwartungshorizont eines umfassenden endzeitlichen Friedens. Aber die alte Erwartung ist für sie neben vielen Einzelheiten vor allem dadurch vom Innersten her verändert,

---

[60] Die alte Formel Röm 1, 3 f sagt freilich nur lapidar ἐξ ἀναστάσεως νεκρῶν. Aber es wäre ein schwerwiegendes Mißverständnis, wollte man Theologumena wie Auferstehung oder Erhöhung (wie immer es dazu gekommen sein mag) ohne zugehörigen Bezug zu dem damit Bedachten interpretieren. Auferweckung zum Heil, aber vor allem die Erhöhung (die auch Röm 1, 4 zugleich voraussetzt) setzen in spätjüdischer Theologie den gehorsamen, aber bestrittenen Weg des Gerechten eschatologisch ins Recht (vgl. Sap 1—5).

[61] Vgl. bereits Jes 59, 9. 14. Apokalyptische Theologie, welche die Heilsgüter der Endzeit im Himmel bereitliegen sieht, variiert nur weiterführend solchen Gedanken. Das ist auch äthHen 71, 15 f vorausgesetzt, nur mit der Variation, daß der zum Himmel erhöhte Prototyp Henoch bereits damit in die Sphäre des endgültigen šalom eingetreten ist. Das besagt aber andererseits: die irdische Welt ist ohne šalom, ist heilsleer; hier gilt es den Weg Henochs, den Toragehorsam, zu vollziehen im Blick auf das vom apokalyptischen Propheten verkündete Geheimnis (vgl. auch 103 f. 108). P. Stuhlmachers Interpretation dieser Stelle (a.a.O. 32, „daß dieses Heil, also der Friede der zukünftigen Welt, schon heute diese unsere Welt bestimmt ... und diese Welt durchdringe") ist übrigens kaum haltbar.

daß Eintritt und Bestand des Endzeitfriedens sich unter der neuen Perspektive des Jesusgeschehens erschließen: Das endgültige Zur-Herrschaft-Kommen dieses von Gott durch die Erhöhung ins Recht gesetzten Geschehens bestimmt nun Erscheinung und Wesen des eschatologischen Friedens.

Solche Erwartung greift dadurch gestaltend in die gegenwärtige Welt ein, daß sie den Glaubenden den im Jesusgeschehen zur Sprache gekommenen Anruf Gottes in Wort und Wandel durchzuhalten ermöglicht; gerade auch dann, wenn sie sich dadurch geradezu ins Widerspiel erwarteten Friedens gestellt sehen. In solcher Situation etwa haben die Seligpreisungen (Mt) und auch die Überwindersprüche der Apokalypse ihren Sitz[62]. Die Makarismen preisen im Blick auf den eschatologischen šalom diejenigen glücklich, die gegenwärtig unter mancherlei Einbußen und Verzicht den unbedingten Gotteswillen durch sich selbst hindurch an der Welt zur Geltung kommen lassen.

Die kosmische Dimension des šalom-Verständnisses geht vielleicht auf ein unreflektiertes Wissen um die Wechselwirkung von menschlichem Tun und naturhaftem Geschick zurück. Doch ist das schließlich von der Apokalyptik durch ihre feste Verklammerung von Sünde und Weltgeschick gänzlich und universal zu einem geschlossenen System theologisch verarbeitet worden. Man mag hier heute neuere Erkenntnisse über die Wechselwirkung von Fehlverhalten und bestimmten Krankheitserscheinungen oder Eingriffen in die Ordnung der Natur und verheerenden Rückwirkungen assoziieren und folgern, daß unsere Differenzierung zwischen geschichtlichem Tun und naturhaftem Ergehen bestimmte Wechselwirkungen und Teilbereiche nicht zu erfassen vermag. Das sollte aber nicht verschleiern, daß die naturhaft-kosmischen oder ontologischen Implikationen des apokalyptischen šalom-Verständnisses weit und grundsätzlich darüber hinausgreifen. Wenn im endzeitlichen Frieden etwa Schmerzen, Krankheit und Vergänglichkeit nicht vorkommen, so ist das nur ein Teilaspekt des übergreifenden Gedankens, daß dieser Friede mit der Aufhebung des ontologischen Gefüges der gegenwärtigen Welt und ihrer Ersetzung durch die eine paradiesisch-himmlische Welt engstens verkoppelt ist. Das Konstatieren von Bildern oder mehr oder weniger beiläufigem Vorstellungsmaterial dokumentiert hier nur, daß Grundgedanken apokalyptischer Theologie verharmlost oder erst gar nicht zu Gesicht gekommen sind. Sachkritische Erörterung wird nicht zuletzt bei der Voraussetzung einzusetzen haben, daß negativ erfahrenes Ergehen und Geschick universal nur als Fluch- oder Straffolge bösen Tuns begriffen sind. Es wird theologiegeschichtlich die Krise des vorausgesetzten ungebrochenen šalom-Verständnisses zu verfolgen und andererseits nach dem negativen *und* positiven Ertrag des damit schließlich in Gang gekommenen Dualisierungsprozesses zu fragen sein. Ein unkritisches Überspringen dieses Vorgangs zurück zur al-

---

[62] Eine gewisse, freilich stark paulinisch nuancierte Variante bietet Gal 6, (12—)16.

ten und gängigen Erwartung des šalom, der sich irdisch ungebrochen verwirklichen soll (und dann auch säkularisiert ausschließlich mit diesem Ziel projektiert wird), muß sich jedenfalls der Erwägung stellen, *inwieweit* es — trotz alles möglichen und nötigen Einsatzes für eine „bessere Welt" — theologisch anachronistisch verfährt.

IV. Die kosmische Friedensstiftung
in der Theologie der weisheitlichen Hymnen

Von Sieg und Herrschaft Jesu als des über die Mächte Erhöhten und einer damit verbundenen Friedensstiftung spricht auch die theologische Konzeption anderer Kreise des Urchristentums. Doch geschieht das mit höchst bezeichnenden Unterschieden zur apokalyptischen Konzeption: Die Mächte und ihr feindliches Wirken sind weithin anders verstanden, die Friedensstiftung ist damit in der Sache unterschiedlich begriffen worden, und auch der Zeitpunkt dieses Geschehens erscheint charakteristisch verlagert.

Von *Jesu* Erhöhung zu sprechen, ist in diesem Gedankenkreis bereits problematisch. Er ist hier von uran der *Präexistente*. Erniedrigung und Unterwerfung dieses Himmelswesens unter die versklavenden Daseinsbedingungen in Kosmos und Menschenwelt sind hier der Gehorsam, auf Grund dessen Gott seine Erhöhung zu höchster Höhe und die Verleihung des Namens über alle Namen bewirkt hat[63]. Beides meint die Einsetzung in eine allumfassende und alles überragende Machtstellung, der Erhöhte ist der Pantokrator über den Gesamtkosmos und seine Mächte. Aber dies Geschehen bestimmt bereits die Gegenwart: Er hat die Herrschaft der feindlichen Mächte bezwungen, hat sie entwaffnet, öffentlich zur Schau gestellt und seinen Triumph über sie gehabt (Kol 2,15). So wird auch Phil 2,10 f ursprünglich dahingehend zu verstehen sein, daß mit der himmlischen Ausrufung des Namens bereits gegenwärtig die kosmischen Mächte stellvertretend dem Erhöhten gegenüber Huldigung (Unterwerfung) und Akklamation vollziehen und dabei bekennen: κύριος Ἰησοῦς Χριστός.

Solches Geschehen ist Thema vor allem der Hymnen dieser urchristlichen Kreise[64]. Die Gemeinde sieht kraft des waltenden Pneuma in dieses himmlische Geheimnis hinein und wird bei der gottesdienstlichen Darbringung der Hymnen in dieses Geschehen geradezu immer wieder mit hineingerissen. Grundlegend ist sie mit dem Taufgeschehen, wie es hier verstanden

---

[63] Phil 2, 8 ff; Kol 1, 19 f; Eph 1, 21 f; Hebr 1, 5 ff; 2, 5 ff; 5, 8—10; 1 Tim 3, 16.

[64] Interessant wäre der Vergleich mit dem hymnischen Gut der Apk. Neben gewissen Ähnlichkeiten bestehen auch grundlegende Unterschiede: das Fehlen der Protologie, des Gedankens der Erniedrigung samt kosmischer Implikationen im Sinne der dualistischen Weisheit. Der apokalyptische Kontext ist auch in den Hymnen der Apk bestimmend.

wird, darin einbezogen worden: Sie ist bereits aus dem Machtbereich der Finsternis errettet und in den Herrschaftsbereich des Sohnes versetzt worden (Kol 1,13), sie ist dem Unterworfensein unter die Mächte abgestorben, lebt also gar nicht mehr in der Welt als dem Herrschaftsbereich dieser Mächte (2,20). Das σῶμα τῆς σαρχός als die individuelle Konkretisierung solch kosmischer Mächtigkeit hat sie ausgezogen wie ein fesselndes Gewand (2,11). Sie ist bereits auferweckt worden und hat damit Sitz in der Himmelswelt gewonnen (Eph 2,5 f; Kol 2,12; 3,1 f): die Entsprechung nicht nur zur Auferweckung, sondern auch zur Erhöhung Christi (vgl. Eph 1,20 f) ist bewußt vollzogen worden.

In einem solchen Hymnus, der als Traditionsstück in Kol 1,15 ff verarbeitet ist, wird nun das grundlegende Heilsgeschehen dieser theologischen Konzeption ausdrücklich als Versöhnung, und zwar im Sinne einer kosmischen Pazifizierung, gepriesen:

> Denn es gefiel der ganzen Fülle, in ihm zu wohnen,
> und durch ihn alles auf seine Herrschaft hin zu versöhnen . . . [65],
> durch ihn das, was auf Erden, wie das, was in den Himmeln ist
>
> (v. 19 f).

Das ἀποκαταλλάξαι τὰ πάντα des ursprünglichen Hymnus wird in der Kommentierung des Kolosserbriefes sachlich ganz richtig mit εἰρηνοποιήσας κτλ. aufgenommen. Schon terminologisch wird sichtbar, daß Frieden hier anders akzentuiert ist, nämlich als Ergebnis beigelegten feindlichen Widerstreits.

Christus ist in diesem Hymnus nicht nur der Schöpfungsmittler, sondern als Riesenleib der Gesamtkosmos. Nach 1,17 f hat das All in ihm seinen Bestand, und er ist zugleich das Haupt des Kosmos-Leibes. Für das Verständnis des Heilsgeschehens als kosmischer Friedensstiftung ist nun aber vorausgesetzt, daß sich im Kosmos ein tiefer Riß ereignet hat; es herrscht im gesamten Kosmos ein feindliches Widereinander. Der antike Mensch hat das in abgründiger Angst und in vielgestaltigen Bedrängnissen und Zwängen erfahren: der Mensch als ein Spielball dem kosmischen Verhängnis ausgeliefert und so selber mit dem Dasein uneins und verfeindet. Irdisches und Himmlisches, Fleisch und Geist werden als widerstreitende Machtsphären erfahren — und dieses kosmische Widereinander geht entsprechend mitten durch den Menschen hindurch und verfeindet ihn mit sich selbst, vor allem mit seiner irdisch-fleischhaften Leiblichkeit, die ihn bestrickt, bezwingt, ans Uneigentliche fesselt, in Leiden und Todesgeschick gefangenhält. Menschliches Dasein ist insgesamt Sklavenstand[66]. Sind dies

---

[65] So wird das καὶ δι' αὐτοῦ ἀποκαταλλάξαι τὰ πάντα εἰς αὐτόν zu verstehen sein (vgl. Dibelius/Greeven, HNT 12, ³1953, 18—20). Das folgende εἰρηνοποιήσας διὰ τοῦ αἵματος τοῦ σταυροῦ αὐτοῦ (v. 20) ist, mindestens ab διά . . ., sekundär erläuternde Interpretation.

[66] Phil 2, 7. Zu den Voraussetzungen solchen Denkens im hellenistischen Judentum siehe E. Brandenburger, Fleisch und Geist. Paulus und die dualistische Weisheit, WMANT 29, 1968, 154—177.

die Voraussetzungen, so ist die knappe und im einzelnen schwer deutbare Aussage Kol 1,20 wohl nach Phil 2,7 f und ähnlichen Texten[67] zu verstehen: Der Sklavenstand, das Dasein im Widerstreit wird vom präexistenten Gottessohn nicht als bloßes Als-ob, sondern mit der Realität seines geschickhaften Ausgeliefertseins in freier, bewußter Zuwendung übernommen. Und in der Freiheit solchen Gehorsams wird die feindlich erfahrene kosmische Mächtigkeit überwunden, das Selbst des Gottessohnes wird dieser Mächtigkeit nicht hörig, so daß sie ihn nun in seinem Tun und Trachten bestimmte. Wo kosmische Mächtigkeit so besiegt wurde, daß sie ihres Agressionsobjektes nicht habhaft werden konnte und damit das Ende ihrer Macht erfuhr, ist sie (wieder) in die Schöpfung integriert worden. Alles Dasein hat nun insofern und insoweit Frieden, als es sich von der Herrschaft dessen bestimmen läßt, der solchen Sieg über die feindlichen kosmischen Mächte und damit den Friedenszustand in einer mit sich selbst verfeindeten Schöpfung heraufgeführt hat.

Auch bei dieser Konzeption ist der mitgebrachte Denkhorizont, in dem das Heilsgeschehen als Friedensstiftung verstanden und beschrieben wird, einigermaßen deutlich. Es ist hier nicht der theologische Entwurf der Apokalyptik, sondern der der dualistischen Weisheit, mit dem bereits bestimmte Kreise des hellenistischen Judentums ihre Überlieferung in der Geisteswelt des Hellenismus interpretiert haben. Die Gefährdung solcher Konzeption wird vielleicht schon in einigen Partien des Neuen Testaments (z. B. Joh) und jedenfalls mit beginnender Gnostisierung im Urchristentum sichtbar. Über die Trägerschaft dieser Konzeption in der Frühzeit wissen wir trotz allem immer noch reichlich wenig. Für eine breitgestreute Basis solcher Kreise spricht aber immerhin schon die starke Aufnahme des hierher gehörigen hymnischen Gutes und entsprechender charakteristischer theologischer Motive. Gegenüber einer undifferenzierten Behandlung des „Enthusiasmus" wird man betonen müssen, daß die theologische Konzeption der Hymnen einem dualistischen Daseinsverständnis intentional gerade entgegenlief, vor allem das Verständnis des zentralen Gehorsamsmotivs beweist das. Wenn die Gemeinde in das Geschehen der Hymnen hineingerissen wird — und sei das unter enthusiastischen Phänomenen bei der gottesdienstlichen Darbringung solcher Hymnen —, so ist die Intention solchen Vorganges doch die entsprechende Übernahme des unter Zwänge versklavten und im Widerstreit liegenden Daseins in der Freiheit des Gehorsams und eben damit im Frieden der erneuerten Schöpfung. Es wird der paradoxe Sachverhalt wachgehalten, daß Verzicht

---

[67] Hebr 5, 8—10; dazu E. Brandenburger, Text und Vorlagen von Hebr. V 7—10, NovTest 11 (1969) 190—224, hier 202 f. Zu vergleichen sind auch die teilweise etwas anders nuancierten Texte Hebr 2, 8 ff. 14 ff u. ä., auch der schwer deutbare Gedanke 10, 20 (dazu GPM 26, 1971, 5 f). In Hebr 10, 19 wird übrigens eine analoge sekundäre Verknüpfung der Soteriologie jener Hymnen mit dem Gedanken des Sühnopfers versucht (vgl. ebd. 4 ff) wie in Kol 1, 20.

und selbst Leiden und Todesgeschick unter dieser Perspektive das Leben durchscheinen lassen[68].

In ihrer Eschatologie haben beide Konzeptionen, die apokalyptische wie die weisheitlich orientierte, an der Dualisierung teil, und es ist jeweils zu fragen, ob die Intention, gehorsamen, aber bestrittenen Lebensvollzug eschatologisch ins Recht zu setzen, überwiegt oder die Transponierung irdisch nicht eingelösten Wohlergehens (šalom). Daß die Konzeption der Hymnen irdisch negatives — und damit im alten šalom-Verständnis nicht integriertes — Ergehen auch unter dem Gesichtspunkt kosmischen Geschehens bedacht hat, geht verschüttet, teils durch die in neutestamentlichen Texten fast gänzlich vollzogene Uminterpretation, die sich am apokalyptischen Entwurf orientiert, teils durch die Umwandlung jener Konzeption im Prozeß der Gnostisierung — wohl nicht ohne gegenseitige Beeinflussung zu alternativen Positionen hin.

In den folgenden Abschnitten sollen nun auf dem Hintergrund des bisher Dargelegten vier verschiedene Interpretationslinien verfolgt werden: 1. die Umwandlung der apokalyptischen Konzeption, die den zum Gottessohn erhöhten Jesus als in der Endzeit wirkenden Friedenskönig erwartete, in den synoptischen Evangelien, die bereits das Wirken des *Irdischen* unter diesen Gesichtspunkt rücken; ein Stadium, das wohl erst über die Konzeption der *gegenwärtig* ausstrahlenden kosmischen Friedensstiftung möglich wurde (V). 2. die Aufnahme des Gedankens der kosmischen Friedensstiftung durch ein in der Dualisierung begriffenes Stadium im Johannesevangelium (VI). 3. die Interpretation der kosmischen Friedensstiftung im Sinne innermenschheitlich-kirchlichen Friedens in den Deuteropaulinen, besonders im Epheserbrief (IX). 4. schließlich die darin schon vorausgesetzte umwälzende Neuorientierung des Themas Versöhnung des Kosmos als Friede der Menschenwelt wie des Einzelnen mit Gott im Rahmen der Rechtfertigungsbotschaft des Paulus (VII und z. T. VIII), die zugleich eine typisch paulinische Umwandlung der apokalyptischen Konzeption mit einschließt.

---

[68] Solche Konzeption dürfte z. B. von Paulus 2 Kor 4, 7 ff verarbeitet sein, freilich v. 14 und 17 ff dann auch unter Beachtung des eschatologisch-apokalyptischen Vorbehalts.

V. Die synoptische Konzeption
vom Frieden stiftenden Messiaskönig Jesus

Daß die Darstellung Jesu als Frieden stiftender Messiaskönig in den synoptischen Evangelien eine bedeutende Rolle spielt, wurde bereits erwähnt[69]. Das ist nun näher auszuführen und dabei die Besonderheit dieser synoptischen Konzeption herauszuarbeiten.

Die wesentlichsten spezifischen Gesichtspunkte lassen sich zunächst am klarsten an zwei Lukastexten (2,1 ff; 19,38 ff) beobachten, die übrigens beide ausdrücklich vom Frieden sprechen. Angesichts der Geburt Jesu als des gesalbten Königs in der Davidsstadt (2,4) erklingt der Lobpreis der himmlischen Heerscharen, die den Frieden über der Erde ausrufen (2,14)[70]. Die Geschichte vom Einzug Jesu in Jerusalem als messianischer König hat Lukas durch redaktionelle Änderungen sorgsam auf die Geburtsgeschichte bezogen[71]. Hier bringt die Jüngerschaft den Lobpreis Gottes dar und wendet dabei den Friedensruf geradezu zum Himmel zurück, und zwar im Rückblick auf das Wirken Jesu und ausdrücklich auf Grund seiner zahlreichen Wundertaten (19,37 f). Jesus ist also nach dieser Konzeption Messiaskönig bereits als der Irdische, ja er ist es nach Lukas — wie Matthäus (1,18 ff; 2,1 ff) — seit der Geburt bzw. kraft Zeugung durch den heiligen Geist[72]. Und der von Jesus gestiftete Friede besteht und erscheint auf Erden in seinen Wun-

[69] Siehe oben S. 17 f.

[70] Das findet seinen Nachhall im Lobpreis Simeons: Er sieht in dem Jesuskind den Messias Gottes und preist das anbrechende Heil Gottes. Wenn er nun „in Frieden entlassen" wird, so ist das in diesem Kontext (2, 21—31) weit mehr als eine abgeschliffene Formel.

[71] Lukas bringt in die Markusvorlage unter anderem den Lobpreis des Friedens ein, und das ist ein deutlicher Rückbezug auf 2, 13 f.

[72] 1, 26 ff; 2, 1 ff. Für Markus beginnt das Messiaskönigtum Jesu mit seiner Taufe (Annahme als Sohn Gottes), erweist sich in seinem Erdenleben als wirksam und ist doch bis zur vollendenden Inthronisation (kraft Auferweckung des Gekreuzigten: 16, 6; vgl. 14, 61 f) auch noch verborgen. Der theologische Gedanke, daß die Inthronisation den Gehorsam bis zum Kreuzestod voraussetzt und die Intention, bereits den Irdischen zugleich als den ἐν δυνάμει wirkenden und herrschenden königlichen Gottessohn darzustellen, liegen im Markusevangelium spannungsvoll ineinander. Zum Problem vgl. P. Vielhauer, a.a.O. 166 ff.

dern, insbesondere in Krankenheilungen, Austreibungen von Dämonen und Totenerweckungen[73].

Die Ausbildung dieser Konzeption läßt sich teilweise an der redaktionellen Einarbeitung der Davidssohnschaft Jesu in den synoptischen Traditionsstoff beobachten. Markus hat wohl in die Geschichte von der Heilung eines Blinden das zweimalige υἱὲ Δαυίδ zu der Bitte ἐλέησόν με eingebracht[74] und diese Erzählung bewußt als Vorspann mit der Einzugsgeschichte verknüpft. Damit wird die Art und Weise, in der mit Jesus „die βασιλεία unseres Vaters David" (11,10) als nahe gekommen betrachtet wird, mit dieser abschließenden wunderbaren Heilung nochmals beispielhaft vor Augen geführt. Matthäus verstärkt diesen Zug[75] und verbreitert ihn vor allem dadurch, daß er in einer Reihe von Wundergeschichten Jesus als Sohn Davids anreden, Kranke heilen und Dämonen austreiben läßt[76]. Besonders eindringlich arbeitet Matthäus diesen Zug redaktionell an zwei Stellen heraus: An das Ende der Komposition (vor allem) von Wundergeschichten in Kap. 8 und 9 rückt er die, in die er das Davidssohn-Bekenntnis einbringt (9,27—34); und dieser Gesichtspunkt wird dann auf neue Weise im abschließenden Summarium gebündelt (s. gleich). Die Geschichte von der Tempelaustreibung (21,12—17) gestaltet er völlig um, indem er sie auf die Krankenheilungen Jesu im Tempel und die darauf bezügliche Davidssohn-Prädikation zuspitzt, außerdem rückt er diesen Abschnitt unmittelbar an die Einzugsgeschichte heran. Eher noch stärker als Matthäus (1,1) stellt Lukas das irdische Auftreten Jesu von den Vorgeschichten her unter den Blickwinkel seiner Davidssohnschaft[77]. Für den das Wirken Jesu schildernden Stoff bedarf es nach so

[73] Lukas verdeutlicht den Sinn des Markusentwurfs (s. u.) nicht nur durch redaktionelles Einbringen des Begriffes Frieden, sondern ebenso durch redaktionelles περὶ πασῶν ὧν εἶδον δυνάμεων (19, 37). Daß Lukas unter diesen δυνάμεις vor allem die genannten versteht, ergibt sich auch aus der kompositorischen Zusammenstellung von 7, 1—10 (Heilung eines zu Tode Erkrankten), v. 11—17 (Auferweckung eines Toten) mit der Täuferanfrage v. 18—23, in die Lk überdies die summarische Notiz einfügt „Zur selben Stunde heilte Jesus viele von Krankheiten, Leiden und unreinen Geistern, und vielen Blinden schenkte er das Augenlicht" (v. 21). Lk hat nach alle dem ein klares Bewußtsein für den Zusammenhang von δυνάμεις, βασιλεύς und εἰρήνη (19, 37 f): die geschehenen Wunder haben den Davidssohn Jesus (1, 32 f; 2, 1 ff; 3, 23 ff) nun auch während seines Auftretens als den erwarteten Friedenskönig erwiesen, und der Lobpreis der Jüngerschaft antwortet darauf und bestätigt diese Erscheinung.

[74] 10, 46—52; vgl. R. Bultmann, Synopt. Tradition, 228; F. Hahn, a.a.O. 262 f; C. Burger, a.a.O. 42 ff. 70.

[75] 20, 29—34 ‖ Mk 10, 46—52: zwei Blinde; 21, 1—11 ‖ Mk 11, 1—11: ausdrückliche Zitierung von Sach 9, 9 (Jesus als sanftmütiger, gewaltloser Friedenskönig) und titulare Prädikation als Sohn Davids.

[76] 9, 27—34; 12, 22—24; 15, 21—28; 21, 12—16.

[77] 1, 32 f; 1, 69 f; 2, 1 ff; 3, 23 ff; vgl. 2, 26 ff.
   Sehr hoch, wohl zu hoch veranschlagt hier C. Burger, a.a.O. 91 ff. 127 ff u. ö., die schriftstellerische Eigenleistung bei Mt und Lk bezüglich der Davidssohnschaft. Ist es einleuchtend, diese nahezu gänzlich auf Mk 10, 46 ff zurückzuführen? Sind die Vorlagen Mk, Q und Sondergut wirklich die einzige Basis für eine theologische Konzeption? Muß nicht auch das Motivfeld mit in Anschlag gebracht werden?

breit angelegtem Vorspiel bei Lukas nur noch der rückblickenden Klammer der Einzugsgeschichte (s. o.). Vor allem der Bezug auf 2,1 ff setzt hier die Davidssohnschaft Jesu als selbstverständlich voraus, und die Intention des Lukas ist jetzt, die Wundertaten Jesu als Erscheinungen und Ausweis des Frieden stiftenden messianischen Königtums Jesu abschließend herauszustellen[78].

Dies letztere zeigt, daß man sich nicht nur am Vorkommen hoheitlicher Davidssohn-Aussagen im engeren Sinne orientieren darf. Ein anderes wichtiges Beispiel dafür ist das Summarium, mit dem Matthäus die vor allem dem Wundertäter Jesus gewidmete Komposition Kap. 8 f beschließt. Die Einzelerwähnung in der Speisungsgeschichte Mk 6,34, daß Jesus angesichts der Volksmenge, die wie Schafe ohne Hirten erscheint, Erbarmen ergriff, rückt er in das stark theologisch reflektierende Summarium. Sie gilt nun generalisierend als Beweggrund für sein Handeln an allen Kranken, Leidenden und von feindlichen Mächten Besessenen (vgl. Mt 4,24) und zugleich für die Aussendung des Zwölfjüngerkreises 10,1 ff zu gleichem Tun[79]. Insbesondere läßt solch generalisierender Bezug kaum mehr Zweifel zu, daß Matthäus hier an 2,1—12 erinnern will: an den Messiaskönig Jesus, an den Herrscher, „der mein Volk weiden soll"[80]. Die offensichtliche literarische Verarbeitung schließt keineswegs aus, daß dabei die Kenntnis des Motivs vom Hirtenamt des eschatologischen Messiaskönigs leitend war[81], das in der betonten Anwendung auf Jesu erbarmendes Handeln in den wunderbaren Heilungen freilich eine besondere Zuspitzung erfahren hat[82].

[78] Solche Intention (vgl. oben bei Anm. 72) liegt näher als apologetisches Interesse (so H. Conzelmann, Die Mitte der Zeit, ⁴1962, 69; übernommen von C. Burger, a.a.O. 112). Wenn bei Lk die ἐρχομένη βασιλεία τοῦ πατρὸς ἡμῶν Δαυίδ (Mk 11, 10) durch ὁ βασιλεύς ersetzt wird, so ist damit wegen 1, 32 f allemal der Gedanke des Königtums Jesu auf dem Throne Davids gegeben. Die „unpolitische" Erscheinung dieser Friedensherrschaft in den Wundern Jesu ist bereits durch Mk vorgegeben.

[79] „Und er rief seine zwölf Jünger zu sich und gab ihnen Macht über unreine Geister, sie auszutreiben und jede Krankheit und jegliches Leiden zu heilen." Auffallenderweise ist in diesem engeren Zusammenhang (9, 36 — 10, 4) von der Ansage der Gottesherrschaft keine Rede (vgl. dagegen 9, 35 und 10, 7 f). Aber wahrscheinlich ist solche Trennung gar nicht beabsichtigt: Mt folgt hier einfach Mk 6, 7 (vgl. dann Mt 10, 7 f und Mk 6, 12 f). Das Bild von der Ernte Mt 9, 37 f gehört in die Missionssprache (vgl. z. B. Joh 4, 35—38). Vor allem ist die übergreifende Kompositionsabsicht bei Mt recht deutlich: Das Nebeneinander von Lehren/Verkündigen und Krankenheilungen Jesu bildet mit 4, 23—25 ‖ 9, 35 ff einen Summariums-Ring um ebensolche Tätigkeit in Kap. 5—7 und 8—9. Das darin erscheinende Hirtenamt Jesu wird im zweiten Summarium geschickt auf das gleichartige Tun des Zwölferkreises (Kap. 10, bes. v. 6 ff) hinüber verlagert.

[80] 2, 6, unter Aufnahme der messianischen Weissagung Micha 5, 2. 4; vgl. die Ankündigung über David 2 Sam 5, 2.

[81] Die Vorstellung vom König als Hirten ist altorientalisch und alttestamentlich weit verbreitet (vgl. H. H. Schmid, a.a.O. 40). Ezech 34, 23—31; 37, 24 wird der Knecht Davids als zukünftiger einziger Hirte angesagt (Kontext!); vgl. Jer 23, 1—8. PsSal 17, 40 f belegt für das Spätjudentum das Motiv des davidischen Messiaskönigs als Hirte des Gottesvolkes.

[82] Zu den Voraussetzungen dafür siehe Ps 72; Ezech 34, 4 f und die weiter unten erfolgende ausführliche Diskussion des Problems.

35

Vor allem ist nun darauf hinzuweisen, daß bereits Markus das Wirken des irdischen Jesus unter der Perspektive des anbrechenden endzeitlichen Messiaskönigtums nicht nur mit seiner Davidssohnschaft, sondern ebenso und im Aufbau des Evangeliums eher noch kennzeichnender mit seiner Gottessohnschaft zum Ausdruck gebracht hat. P. Vielhauer hat dargelegt, wie Markus an markanten Punkten seines Evangeliums — Taufe, Verklärung und Kreuzigung — Jesus als Sohn Gottes im Sinne des Königs der eschatologischen Heilszeit ins Spiel bringt[83]. Damit wird ein anderes Verständnis der Gottessohnschaft Jesu im Sinne der ϑεῖος ἀνήρ-Vorstellung, das den Traditionsstoff der Wundergeschichten beherrscht[84], überlagert und so für den Gedanken des anbrechenden endzeitlichen Königtums Jesu in Anspruch genommen[85]. Dieses Verfahren des Evangelisten findet seine Bestätigung in dem erwähnten, teilweise parallelen redaktionellen Vorgang, daß Markus in die Blindenheilungsgeschichte 10,46—52 den Gedanken der helfenden, rettenden Davidssohnschaft Jesu einbringt und diese Geschichte als Vorspann mit der Einzugsgeschichte verkoppelt, die vom — christlich modifizierten — Gedanken der Erfüllung messianischer Weissagung geprägt ist.

Damit ist aber folgendes sichtbar geworden: Bereits der Evangelist Markus bietet jenen ausgearbeiteten theologischen Entwurf, der in den Wundern Jesu sein Frieden stiftendes endzeitliches Königtum zum Durchbruch kommen sieht, auch wenn das vorläufig bis zur Auferweckung bzw. endgültigen Inthronisation als Gottessohn aus theologischen Gründen noch verborgen bleiben soll. In den von satanischen Geistermächten Befreiten und damit von Krankheit, Leiden und Schmerzen Geheilten wie den vom Tode Erweckten wird bereits der endzeitliche šalom epiphan. Und der Tendenz zur Anhäufung von Wundergeschichten bei Markus (und ihm folgend den andern Synoptikern) wie in den summarisch-redaktionellen Bündelungen, die solches Geschehen auf *alle* Kranken usw. und *jedwedes* Gebrechen ausweiten[86], liegt wohl weniger nur einfach redaktionell rahmendes Bemühen oder übertreibende Redeweise zugrunde als das Motiv, das Ganze als ein den alten Äon universal verwandelndes eschatologisches Geschehen darzustellen[87]. In den Austreibungen der Dämonen, also im Sieg Jesu über die feindlichen Geister-

---

[83] 1, 9—11; 9, 2—8; 15, 39 (nach dem Zusammenhang von v. 26, 32 und 39 im Sinne der Königstitulatur zu verstehen); vgl. 14, 61 f; siehe P. Vielhauer, a.a.O. 159—165.

[84] Das gilt auch für solche Wundergeschichten, in denen dies Verständnis nicht titular zum Ausdruck kommt.

[85] P. Vielhauer, a.a.O. 166, sagt „absorbiert bzw. ‚überformt'".

[86] Mk 1, 32. 34; 3, 10; 6, 56. Siehe auch die Verallgemeinerungen in bezug auf die dämonischen Mächte: 1, 27. 39 (6, 56; 7, 37); bei den ausgesandten Jüngern: 6, 7. 13; bei Jesus: Mt 4, 23 f ‖ 9, 35; 8, 16; Lk 19, 37; Act 10, 38; bei den Aposteln: Act 5, 16.

[87] Dazu siehe neben den oben interpretierten Kontexten von Mt 9, 35 und Lk 19, 37 vor allem Apk 21, 4 (vgl. 7, 17), wo die zum Material von Anm. 86 parallelen Aussagen ausdrücklich mit dem Gedanken der Ersetzung oder Verwandlung des alten Äons durch den neuen verbunden sind.

mächte[88], erfüllt sich die Erwartung, daß die Herrschaft Satans und seiner Engel- oder Geistermächte in der Endzeit zunichte gemacht wird[89]. Wenn Sturmwind und Meer, die als dämonisch besetzte Naturmächte vorgestellt sind, gescholten und zu gehorsamer Unterwerfung unter seine Herrschaft gezwungen werden[90], so läßt sich das, zumal im jetzigen Zusammenhang, wahrscheinlich eher von der kosmischen Dimension apokalyptischer Erwartung her verstehen[91]. Diese Konzeption entspricht also weithin jener andern vom Kampf des Messiaskönigs (bzw. Gottes) in der Endzeit, dessen Sieg und Herrschaft, verbunden mit dem Gedanken des neuen Äons, den šalom als Segenswirkung aus sich entläßt[92].

Die vorgetragene Deutung, die das für die Synoptiker kennzeichnende Erscheinen des eschatologischen šalom in den Wundern des irdischen Jesus als Umwandlung der apokalyptischen Friedenskonzeption begreift, ist nun noch in zweifacher Hinsicht zu diskutieren und zu präzisieren.

1. E. Käsemann[93] sieht die markinische Konzeption von Jesus als dem großen Bezwinger der Dämonen, als dem Sieger über Tod und Teufel (72,

[88] Zu den Stellen in Anm. 86 vgl. vor allem noch Mk 3, 22—30 parr.

[89] Vgl. oben bei Anm. 45. Den Gedanken der Erfüllung solcher Erwartung bietet neben Mk auch das aus Q stammende Logion Mt 12, 28 ‖ Lk 11, 20: „Wenn ich durch den Geist Gottes (Lk: mit dem Finger Gottes) die Dämonen austreibe, so ist damit das Reich Gottes zu euch gelangt."

Das Motiv des „kosmischen Kampfes", der „die eschatologische Herrschaft, Gottes einleitet" (48), hat vor allem J. M. Robinson, Das Geschichtsverständnis des Markus-Evangeliums, AThANT 30, 1956, durchgehend betont. Die Übertragung dieses Motivs auch auf die Streitgespräche (Debatten) erscheint freilich ziemlich konstruiert (kritisch dazu auch P. Vielhauer, a.a.O. 166); jedenfalls fehlt hier die nötige religions-, traditions- und redaktionsgeschichtliche Erörterung. Möglich ist aber immerhin, daß der Evangelist in 1, 21—28 eine Verbindung von Wortgeschehen und exorzistischem bzw. Heilungsgeschehen anvisiert hat. Dann wäre nach der theologischen Grundlage solcher Verbindung zu fragen (dazu oben S. 31—35), analog zu der Verknüpfung von Heilungswunder und Streitgespräch in 2, 1—12: Mit Sündenvergebung bzw. Dämonenaustreibung kommt Krankheit bzw. Geplagtsein durch satanische Mächte zu Ende, weil sie als Fluchgeschehen von Sünden oder satanischer Verführung verstanden ist. Das unterstreicht aber eher noch, daß das eschatologische Motiv vom Kampf und Sieg des Gottessohnes in Verbindung mit dem šalom-Gedanken auf das wunderbare Zu-Ende-Kommen von Besessenheit und damit Krankheit, Leiden und Tod konzentriert ist (anders Robinson 55 ff, bes. 58).

[90] Mk 4, 35—41 parr. Zum Motiv solcher Unterwerfung vgl. auch noch 1, 27.

[91] Man zögert zunächst wegen Kol 2, 15 u. ä. Aussagen. Aber wie sind solche Aussagen konkret verstanden? Möglich wäre die Vermengung mit der apokalyptischen Konzeption, die in ihrer formalen Struktur mit dem politischen Frieden von alters her vieles gemeinsam hat. Wahrscheinlicher ist aber doch, daß man in Analogie zu soteriologisch-anthropologischen Aussagen wie 1, 12 f; 2, 11 f; 2, 20 und deren weisheitlich-dualistischem Hintergrund wird interpretieren müssen (vgl. Abschnitt IV).

Zur kosmischen Konzeption apokalyptischer Theologie, und zwar hinsichtlich des Fluch- oder Strafverhängnisses auf Grund der Sünde wie der korrespondierenden Heilserwartung, siehe S. 23 ff und 40 ff (mit Literaturverweis Anm. 108).

[92] Siehe oben Abschnitt III.

[93] Der Ruf der Freiheit, ³1968, 72—76.

74) unmittelbar aus dem urchristlichen Enthusiasmus erwachsen (72). Das Traditionsgut sei an der in den urchristlichen Hymnen bewahrten Anschauung einheitlich ausgerichtet worden (74), und zwar so, „daß hier die Botschaft der urchristlichen Hymnen vom Herrschaftsantritt des Christus als des Kosmokrators und der sie begleitenden Anerkennung seitens der dämonischen Gewalten, in Erzählungsform umgegossen, auf den über die Erde schreitenden Jesus übertragen" und so das mythische Schema der Hymnen[94] historisiert worden sei (73).

Diese anregende These läßt sich aber in dieser Form wohl kaum aufrechterhalten. Beherrschend steht für Markus der Sohn Gottes als der *endzeitliche Messiaskönig* im Vordergrund. Und da er nach Markus bereits als der Irdische in dieser Funktion durchgehend wirkt, führt er den Anbruch des *eschatologischen šalom* herauf. So gut sich eine Reihe von Einzelheiten in diesen Hintergrund der apokalyptischen Friedensanschauung einfügt, so sehr sperren sie sich gegenüber der Theologie der weisheitlichen Hymnen: Der markinische Gottessohn ist eschatologischer König, aber nicht einfach der Kosmokrator jener Hymnen. Das wird auch daran sichtbar, daß bei Markus — anders als im Johannesevangelium — die Motive der Protologie (Präexistenz, Schöpfungsmittlerschaft) keine Rolle spielen[95]. Für jene Hymnen ist irdisches Dasein als solches Sklavenstand mit allen seinen Übeln, und entsprechend ist die Mächtigkeit des Irdisch-Sarkischen dominant[96]; Markus hingegen schwebt das apokalyptische Bild von der auf Sünde beruhenden und zur Sünde verführenden und so unter seine Herrschaft zwingenden Macht Satans und seiner Engel- oder Dämonenschar vor[97]. Mit dieser Satansmacht und ihrer chaotisch-dämonischen Machtsphäre (Wüste, wilde Tiere) wird der Gottessohn von Markus bereits im Vorspiel seines Evangeliums (1,12 f) konfrontiert; und auch die Beelzebul-Perikope (3,22—30) weist in diesen Gedankenkreis. So ist auch jeweils der Friedensbegriff (Kol 1,20: εἰρηνοποιεῖν — ἀποκαταλλάσσειν) und die Friedensanschauung insgesamt anders akzentuiert, bei Markus jedenfalls vornehmlich im Sinne des apokalyptischen Verstehenshorizontes[98]. Hinsichtlich der satanischen Macht-

---

[94] E. Käsemann denkt wohl dabei an Phil 2, 6 ff u. ä.; vgl. dazu bereits R. Bultmann, Die Geschichte der Synoptischen Tradition, ⁵1961, 372 f. Zur Differenzierung des hymnischen Gutes vgl. oben Anm. 64.

[95] Die anders lautende These von J. Schreiber, Die Christologie des Markusevangeliums, ZThK 58 (1961) 154—183, hier 156 f. 166 f. 183 (sie ist nicht ohne Vorstufen: vgl. M. Dibelius, ebd.; R. Bultmann, Synopt. Tradition 372 f), hat P. Vielhauer, a.a.O. 156, mit Recht abgelehnt.

[96] Vgl. oben bei Anm. 66 und 67 und die dort genannte Literatur.

[97] Zum Hintergrund dieser Sparte apokalyptischer Theologie vgl. E. Brandenburger, Adam und Christus. Exegetisch-religionsgeschichtliche Untersuchung zu Röm 5, 12—21 (1. Kor 15), WMANT 7, 1962, 20 ff; ThW VII, 154—156 (W. Foerster). Dieser Hintergrund ist insgesamt alles andere als einheitlich. Für den hier anvisierten Gedankenkreis haben auch neutestamentliche Texte im Zusammenhang mit spätjüdischen Parallelen oder Vorstufen durchaus religionsgeschichtlichen Argumentationswert.

[98] Dazu siehe weiterhin Punkt 2.

sphäre steht hier, wie in der apokalyptischen Sicht[99], das Motiv der Ausschaltung und Vernichtung im Vordergrund.

Wohl ist in Texten, welche deutlich an die Theologie der weisheitlichen Hymnen anschließen, dann auch das apokalyptische Motiv vom Satan als Beherrscher dieser Welt eingedrungen[100], freilich, wie die Kontexte zeigen, mit charakteristischen Abwandlungen; möglicherweise gibt es Vorstufen solcher Verquickung. Auch die antizipierende Umwandlung des apokalyptischen Friedensverständnisses in die synoptische Konzeption läßt sich wohl leichter — im Sinne einer Gedankenbrücke — verstehen, wenn der Erhöhte auch als der bereits *gegenwärtig* Wirkende, über die Mächte Triumphierende und so wie ein Kraftfeld *auf die Erde* Ausstrahlende entsprechend der Konzeption der kosmischen Friedensstiftung begriffen worden ist. Dennoch bleibt als hervorstechendstes Merkmal der markinischen und dann auch gesamtsynoptischen Konzeption, daß sie die Traditionsschicht der Wundergeschichten und das sie kennzeichnende Verständnis Jesu als ϑεῖος ἀνήρ im Rahmen der apokalyptischen Anschauung vom endzeitlichen Messiaskönigtum als die bereits mit dem irdischen Jesus angebrochene *eschatologische* Friedensstiftung interpretiert hat.

Was in den eschatologischen Hymnen der Apokalypse vorläufig als himmlisches Geschehen gepriesen wird — während auf Erden die Heilsleere durch das Anschwellen unheilvollen Ergehens eher gesteigert erscheint (z. B. 12, 12 ff) —, das sieht Markus (und Mt/Lk) bereits als gegenwärtige Wirklichkeit im irdischen Jesus in Erfüllung begriffen. Insofern und insoweit hat Markus damit den apokalyptischen Verstehenshorizont, in den er die Überlieferung der Wundergeschichten einstellt, zugleich teilweise durchbrochen. Man könnte auch sagen: die ϑεῖος ἀνήρ-„Christologie“ und das Verständnis Jesu als endzeitlicher Herrscher und Friedensstifter durchdringen sich beide, wobei die letztere Sicht aufs Ganze gesehen dominierend bleibt.

2. Gerade wenn die synoptische Konzeption der Friedensstiftung derart auf die Ausschaltung von Krankheit, Leiden, Tod und auf das Zunichtemachen der dämonischen Satansmächte vor allem in diesem Zusammenhang konzentriert ist, sind Gewicht und Tragweite der geläufigen Auffassung — und darauf aufbauender Argumentation — zu prüfen, nach der die zeitgenössische jüdische Anschauung den Messias nicht als heilenden Wundertäter gekannt habe[101]. Trifft diese Auffassung das Ganze, wäre in der Tat

[99] Vgl. oben zu TestLevi 18, 12; Röm 16, 20 (bei Anm. 45).
[100] Eph 2, 1 ff; 6, 11 f; Joh 12, 31; 14, 30; 16, 11; vgl. 8, 44; 1 Joh 3, 8—10; vgl. auch 2 Kor 4, 4.
[101] Geläufige These. Mit ihr argumentieren z. B. die hier beigezogenen Arbeiten von P. Vielhauer, a.a.O. 159; vor allem C. Burger, a.a.O. 44 (gegen E. Lohmeyer), 46 und 169 f; und zwar im Anschluß an F. Hahn, a.a.O. 219 (in Anm. 1 gestützt auf Billerbeck, Bultmann und Klausner), 262 f; vgl. bereits A. Schweitzer, Geschichte der Leben Jesu-Forschung, 1913, 294 f u. a.
  F. Hahn sieht eine „spezifisch christliche Ausprägung“ gegeben, begründet in der besonderen Art des Wirkens des historischen Jesus, in der „Einzigartigkeit

mit einem völligen christlichen Novum zu rechnen. Aber ist das angesichts paralleler alttestamentlich-jüdischer Enderwartung in dieser generalisierenden Form der These und entsprechender Folgerungen wahrscheinlich? Ist z. B. die Argumentation der Gemeinde im Sinne des aus Q stammenden Apophthegmas der Täuferanfrage σὺ εἶ ὁ ἐρχόμενος; [102] — so problematisch sie in der Sache auch teilweise sein mag — ohne jeden Anhalt in den messianischen Erwartungen des zeitgenössischen Judentums? Dann wäre der Argumentationswert dieser Überlieferung[103] in seinem ursprünglichen Sitz und in seiner redaktionellen Verwendung gleich Null[104]. Hier ist eine Bestandsaufnahme vonnöten.

Zum Königtum gehört ganz allgemein das helfende, rettende und erbarmende Handeln gegenüber den Armen und Geringen. Das belegt die im Rahmen altorientalischen Denkens formulierte Funktionsbeschreibung zur Einsetzung des Königs in Ps 72, 4. 12 f. Zur Inthronisation des Königs gehört weiterhin, daß die daran geknüpften „Erwartungen" häufig in Schilderungen der paradiesischen Urzeit zum Ausdruck kommen[105]. Bereits in altorientalischen Urzeitschilderungen ist, wenn auch vielleicht relativ selten, davon die Rede, daß es keine Krankheiten usw. gibt[106]. Bei Jesaja sind solche Erwartungen auf Jahwe konzentriert: Die vom Königtum Jahwes erwartete Hilfe wird u. a. darin bestehen, daß Blinde und Lahme Beute in Fülle teilen, kein Einwohner der Stadt Jerusalem sagen wird, er sei krank; den Bewohnern ist die Schuld vergeben (33, 22—24; u. U. später Text). Die erwartete Heimkehr Israels nach Zion wird mit den typischen Farben der urzeitlichen Paradiesesschilderungen beschrieben (35, 1—10). Darin heißt es unter anderem: „Alsdann werden die Augen der Blinden aufgeschlossen, und die Ohren der

seines wunderbaren Auftretens" (262 f). Aber *was* berechtigt zur Annahme, daß Jesu Auftreten in bezug auf seine Heilungswunder historisch einzigartig war?
   C. Burger schließt sich, was die spezifisch christliche Ausprägung anbelangt, F. Hahn an (46), erklärt ihr Zustandekommen — einer starken Tendenz seiner ganzen Arbeit entsprechend — redaktionsgeschichtlich: „Durch die Bearbeitung der Blindenheilung von Jericho (sc. durch Mk) wird der Sohn Davids zum Wundertäter. Der davidische Messias zieht eine Funktion des hellenistischen ϑεῖος ἀνήρ an sich, die ihm in der jüdischen Erwartung nicht zukommt" (169). Aber *warum* geschieht das? Welche Anknüpfungspunkte und theologischen Voraussetzungen müssen dafür gegeben sein? Oder ist Redaktion des Traditionsstoffes — überspitzt formuliert — voraussetzungslose formale Schreibtischarbeit?
[102] Mt 11, 2—6 ‖ Lk 7, 18—23; dazu R. Bultmann, Synopt. Tradition 22.
[103] Mt scheint in seinem Evangelium in Auseinandersetzung mit dem Judentum durchgehend mit der Davidssohnschaft Jesu recht ähnlich zu argumentieren, vgl. besonders instruktiv 21, 14 ff.
[104] Hält sich Mt 11, 2—6par wirklich nur im Rahmen einer allgemeinen Wunder-Erwartung für die messianische Zeit (so R. Bultmann, Synopt. Tradition 275), wenn ὁ ἐρχόμενος in Frage steht? Selbst wenn das trotz dieser immerhin auffallenden Fragestellung anzunehmen wäre, reduzierte sich bereits das spezifisch Christliche auf die Personalisierung einer in der Sache ziemlich allgemein geteilten Erwartung.
[105] Siehe H. H. Schmid, a.a.O. 16 f. 21 ff. 30 ff. 70 ff.
[106] Ein Beleg dafür ebd. 28.

Tauben werden aufgetan. Alsdann wird der Lahme springen wie ein Hirsch, und die Zunge des Stummen wird jauchzen"; Freude und Wonne werden eintreffen, Leid und Seufzen entfliehen (v. 5 f. 10).

In der Apokalyptik treten die Voraussetzungen dieser Anschauungen in typisch apokalyptischer Weiterbildung zu Tage: Entweder ist die Welt von der zur Sünde verführenden und so besitzergreifenden Macht Satans und seiner Engelscharen pervertiert (so vor allem Test XII, Henoch- und z. T. Qumranliteratur[107]), oder alle Übel samt Krankheit, Schmerzen, Leiden dieser Schöpfung und das Sterbenmüssen werden auf die Ureltern zurückgeführt (vor allem 4Esra, syrBar, Adamliteratur[108]). Zu dem im Eschaton in Verbindung der Motive zweier Äon/Himmelsstadt oder Paradies/Lebensbaum eintretenden šalom gehört dann, daß Krankheit, Schmerzen und Tod nicht mehr sein werden (z. B. 4Esra 8, 51 ff; ApkMos 13; vgl. z. T. VitAd 41 f). Die christliche Apokalyptik übernimmt solche Erwartung (z. B. ApkJoh 21, 4; 22, 2).

Entsprechend den Aussagen über König und Königtum Jahwes finden sich gleiche Äußerungen, wenn auch nicht sehr häufig, in verschiedenen Kreisen von (eschatologischen) Rettererwartungen: Deuterojesaja erwartet, daß der Ebed Jahwe die Augen der Blinden auftut und Gebundene aus Gefängnis und Kerker herausführt (42, 6 f). Den bösen Hirten (= Königen) Israels wird vorgeworfen, daß sie das Schwache nicht gestärkt, das Kranke nicht geheilt, das Gebrochene nicht verbunden haben. Und offensichtlich wird ebendies von dem zukünftigen Königtum Davids erwartet, vom messianisch-davidischen König, der dann als einziger Hirte und Herrscher Israel weiden wird (Ezech 34, 4. 23 ff; 37, 24 ff). Zu beachten ist dabei der Zusammenhang mit dem šalom erschließenden Bund Jahwes und die Paradiesesschilderung zur Beschreibung dieses Friedens (34, 25 ff; vgl. 37, 26 ff). Ähnlich wird der Friedenszustand in der Zeit des Messias syrBar 29, (4) 5—8 beschrieben. Zu diesem šalom wird es auch gehören, daß Wolken „heilungbringenden Tau herabträufeln" (v. 7[109]). Daß im himmlischen Jerusalem, der von Gott und seinem Messiaskönig beherrschten Paradieses-Stadt, Lebensbäume zur Heilung der Völker dienen (ApkJoh 22, 2) und Tränen, Leid, Krankheit und Tod beseitigt sind (21, 4; vgl. 7, 17), liegt (bis auf die positive Öffnung zur Völkerwelt hin) in der Linie des skizzierten Erwartungshorizontes.

Zu beachten ist hier auch die in vielen Motiven parallele Erwartung des endzeitlichen Priesterkönigs TestLevi 18. Im Zusammenhang seines šalom stiftenden Wirkens auf der ganzen Erde eröffnet er das Paradies und gibt

---

[107] Siehe oben Anm. 97.

[108] Vgl. E. Brandenburger, Adam 54 ff. 58 f; dazu insbesondere noch ApkMos 6—11, VitAd 30—36 und 44.

[109] Daß dies ein Gottesgeschehen in der vom Messias bestimmten Zeit ist, geht einerseits auf das Zitieren von Jes 26, 19 LXX zurück. Andererseits ist solcher Wechsel zwischen Gott und König oder Messiaskönig sachbedingt; vgl. z. B. zuvor Ezech 34, 23 ff; 37, 24 ff und s. u. Ähnlich syrBar 73 f mit der ganzen Breite der eschatologischen Paradiesesschilderung, siehe bes. 73, 2 f. 7; 74, 2.

vom Lebensbaum zu essen (v. 10 f), was nach den dargebotenen Belegen aus ApkMos, VitAd und ApkJoh Krankheit und Sterbenmüssen ausschaltet. In enger Verbindung damit wird von diesem Messias aus priesterlichem Geschlecht erwartet, daß er den Satan besiegt (καὶ ὁ Βελίαρ δεθήσεται ὑπ᾽ αὐτοῦ v. 12) und damit den Seinen Macht verleiht, die satanischen Geistermächte zu überwinden und zu vernichten (πατεῖν ἐπὶ τὰ πονηρὰ πνεύματα, vgl. Röm 16, 20; Mk 6, 7. 13parr; 16, 17 f).

Ohne Zweifel nennt die zeitgenössische Erwartung eines davidischen Messias (z. B. PsSal 17), soweit sie uns textlich bekannt ist, die dargelegten Motive zum größten Teil gar nicht. Und wo sie direkt erscheinen oder in verschlüsselter Sprache vorauszusetzen sind[110], handelt der Messiaskönig nicht unmittelbar und aktiv in diesem Sinne. Andererseits ist nach den dargebotenen Belegen aber auch dies kaum bestreitbar: Das helfende, rettende Handeln nicht nur gegenüber den Elenden ganz allgemein, sondern auch gegenüber der Krankheit hat in königsideologischen Texten einen festen Sitz und eine lange Tradition, selbst wenn dies Motiv nicht stereotyp vorkommt. Das zukünftige Heilshandeln Jahwes als Beseitigung von Krankheit, Leid und Seufzen (Jes 33,22—24; 35,1—10) gehört in den Gedankenkreis seines Königtums. Nicht nur die Johannesapokalypse, sondern ebenso in ihr vorausgesetzte spätjüdische Anschauungen wie z. B. AssMos 10,1[111], haben diesen Zusammenhang auch in der eschatologischen Umformung bewahrt. Und nach der Erwartung einiger Kreise werden diese Funktionen des Königtums Gottes eindeutig auch von menschlichen, teilweise messianisch-endzeitlichen Rettergestalten aktiv wahrgenommen: vom Ebed Jahwe (Jes 42,6 f), vom davidischen Messiaskönig (Ezech 34,4 mit 23 ff) und vom priesterlichen Messias (TestLevi 18), wobei von diesem eschatologischen Priesterkönig als šalom stiftendes Handeln die Besiegung der Satansherrschaft wie die Ausschaltung der das Leben bedrohenden Übel bis hin zum Todesgeschick erwartet werden. Daß diese Textbasis nicht breit ist, ist klar. Doch ist andererseits auch dies zu bedenken: Die vorhandenen spätjüdischen Texte bieten nur einen Ausschnitt; die stark politisch akzentuierte Erwartung in PsSal 17 und 4 Esra ist auch situationsbedingt; ein Fortleben von Erwartungen wie in TestLevi 18 kann nicht ausgeschlossen werden, ja ist höchst wahrscheinlich, auch wenn die Basis priesterlicher Traditionen im Urchristentum nicht allzu breit ist[112]. Gerade für den hier verhandelten Motivkreis des šalom stiften-

---

[110] 4 Esra 7, 26 ff: Himmelsstadt und Paradies (hier in der Messiaszeit, anders 8, 52), Freude ebd. 12, 34, vgl. auch 13, 26; syrBar 29, 5—8: unter den paradiesischen Gaben der Messiaszeit auch Krankheit tilgender Himmelstau, vgl. 73, 2; ApkJoh 7, 17; 21, 4; 22, 2 (s. o.).

[111] „Und dann wird seine (sc. Gottes) Herrschaft in seiner ganzen Schöpfung erscheinen, und der Teufel wird nicht mehr sein, und die Traurigkeit wird mit ihm hinweggenommen sein."
Motivparallelen: TestLevi 18, 12 (s. o.); Röm 16, 20 und andererseits Jes 35, 10; Apk 21, 4 u. a. Die Motivverbindung setzen dabei TestLevi 18 und Apk voraus.

[112] Immerhin ist die Verarbeitung der Überlieferung vom hohenpriesterlichen Melchisedek ein wichtiges Indiz für das Fortbestehen und die — hier durch die hel-

den eschatologischen Königtums sind Motivwanderungen oder -übertragungen besonders kennzeichnend[113]. Das ist für das Urchristentum um so mehr zu bedenken, als die im Rahmen davidischen Messiaskönigtums gedachte Christologie gerade für die Übernahme der politisch-nationalen Implikationen nicht den geringsten Anlaß hatte, das konstitutive βασιλεία- oder Kampfmotiv dagegen offenbar ziemlich früh auf die Unterwerfung der Satansmacht bezogen hat. Angesichts dieses Sachverhaltes wird der — zunächst wohl in der Auseinandersetzung mit Täuferkreisen beheimateten — Gemeindebildung Mt 11,2—6 par auch hinsichtlich der Frage nach dem eschatologischen ὁ ἐρχόμενος ein realer Argumentationswert beigemessen werden müssen. Der Text wäre damit ein weiterer Beleg für das Fortleben einer Rettererwartung, die mit dem endzeitlichen šalom das Ende von Krankheit und Tod verbindet.

Die Entwicklung der synoptischen Konzeption läßt sich dann in Ergänzung des oben Ausgeführten so verstehen: Die Erinnerung an wunderbare Heilungen Jesu — deren Historizität hinsichtlich eines gewissen Grundbestandes vorausgesetzt werden kann — hat insbesondere in Kreisen des hellenistischen Judenchristentums eine erhebliche Rolle gespielt und ist in jenen breiten Traditionsstrom ausgeufert, der Jesus als überragenden θεῖος ἀνήρ darstellt. Markus zuerst und grundlegend, ihm folgend auch Lukas und Matthäus, verarbeiten diesen Traditionsstrom so, daß sie ihn uminterpretierend in den theologischen Rahmen des eschatologischen Messiaskönigtums Jesu einstellen und den endzeitlichen šalom bereits in den wunderbaren Heilungen und Machterweisen anbrechen sehen. So grundlegend der literarische Entwurf des Markus auch ist, es hat vor und neben ihm auf jeden Fall gewisse Vorstufen gleichartiger eschatologisch-gegenwärtiger Ausrichtung von Einzelstoffen in dieser Sache gegeben. Darum ist die Möglichkeit kaum zu bestreiten, daß er sich an solchen Gedankengängen und möglicherweise auch an entsprechenden Einzelstoffen orientieren konnte. Aus dem Markus unzugänglichen Q-Material sind wenigstens drei Stücke zu nennen: das allgemein messianisch orientierte Apophthegma der Täuferanfrage; das Logion, das in Jesu Dämonenaustreibungen kraft des Geistes Gottes die eschatologische Herrschaft Gottes anbrechen sieht (zu beidem s. o.); wahrscheinlich,

---

lenistisch-jüdische Spekulation hindurchgegangene — Weiterentwicklung der Erwartung eines priesterlichen Messiaskönigs. Hebr 7, 1 ff nennt noch die beiden königlichen Funktionsbeschreibungen: βασιλεὺς δικαιοσύνης und βασιλεὺς εἰρήνης.

[113] Vgl. die oben genannten funktionell in vielem parallelen Gestalten Ebed Jahwe, davidischer und priesterlicher Messiaskönig. Andere Beispiele aus diesem Bereich der Königsfunktion: Der Prophet zeigt Jes 61, 1 ff königliche Züge (Salbung und Funktionsbeschreibung). Mt 11, 5 wird dieser Text für ὁ ἐρχόμενος, Lk 4, 17 f für den (davidischen) Messiaskönig Jesus in Anspruch genommen — im Blick auf die königlichen Funktionen nicht ganz zu Unrecht. In das AssMos 10,1 beschriebene königliche Herrscheramt Gottes rücken TestLevi 18, 11 f der priesterliche Messias und Apk 19—22 auch zugleich der davidische Messiaskönig ein. In königlicher Funktion erscheint Mose, der erzengelgleiche göttliche Prophet, AssMos 11. Der Gottessohn Jesus wird Hebr 7, 1 ff (s. o.) als Friedenskönig im priesterlichen Verstehenshorizont interpretiert.

wenn auch vermutlich in anderer Reihenfolge, die Anweisung aus der Missionsinstruktion Lk 10,9 „... und heilet die Kranken, die dort sind, und sagt zu ihnen: Das Reich Gottes ist nahe zu euch gekommen!"[114] Schon allein angesichts dieser theologischen Tendenz wird man der von Markus vorgefundenen Einzugsgeschichte (11,1—11) eine entsprechende ursprüngliche messianologische Aussageabsicht beizumessen haben. Und auch für sich genommen ist es wahrscheinlicher, daß Markus auf Grund des Wissens, wie Jesus darin als messianischer Friedenskönig dargestellt werden sollte, zur Einbringung der Davidssohnschaft in 10,46—52 veranlaßt wurde, als eine sekundäre Interpretation der Einzugsgeschichte im umgekehrten Sinne anzunehmen[115]. Außerdem ist angesichts der parallelen Q-Überlieferung mindestens die gedankliche Grundlage der rahmenden Bemerkungen der Missionsinstruktion Mk 6,7—13 als vormarkinisch vorauszusetzen[116].

[114] Der Paralleltext Mt 10, 7 f ist Lk 10, 9 gegenüber insofern sekundär, als er teilweise mit der Q-Überlieferung Mt 11, 2—6par aufgefüllt worden sein dürfte. Die lukanische Reihenfolge (Krankenheilung, Ansage der Gottesherrschaft) wird angesichts der sonstigen Überlieferung sekundär sein; vgl. auch Anm. 116. Zur Frage der ursprünglichen Überlieferung vgl. R. Bultmann, Synopt. Tradition 155 f. 351.

[115] Gegen die Tendenz bei C. Burger, a.a.O. 45 f. 70 f. 168—170; vgl. auch oben Anm. 77 und 101.

[116] Natürlich sind die rahmenden Bemerkungen der Verse 7 und 12 f formanalytisch gegenüber dem Corpus der Instruktion als sekundär zu betrachten. Aber dieser Rahmen ist vermutlich, wenigstens teilweise, vormarkinisch: die Ölsalbung zur Krankenheilung, als christliche Übung seitens der Ältesten Jak 5, 14 f bezeugt, spielt z. B. für die Markuskonzeption nicht die geringste Rolle.

Hier ist zum Ganzen auf ein noch ungelöstes Problem hinzuweisen. Bei Mk wie Mt/Lk ist das Tun Jesu wie des ausgesandten Zwölferkreises (mindestens letzteres wohl im Anschluß an unabhängige Überlieferung, vgl. oben und Anm. 114) in der Regel ein doppeltes: Verkündigung/Lehre (Ansage der Gottesherrschaft) und Krankenheilung/Dämonenaustreibung. Andererseits läßt sich, wie wir gesehen haben, zunächst nur für die letztere Komponente eine redaktionsgeschichtlich deutlich erfaßbare Verarbeitung zur synoptischen Konzeption vom šalom stiftenden Messiaskönigtum Jesu nachweisen (mit einer konstruierenden Interpretation wird man zurückhaltend sein müssen, vgl. oben Anm. 89; das Problem des Mk war hier vor allem die Integration der Traditionsschicht der Wundergeschichten). Erst bei Mt wird eine Verkoppelung beider Komponenten durch bewußte kompositorische Arbeit, die sich über eine größere Stoffbreite (Kap. 5—9) erstreckt, greifbar, wenn man der oben (bei Anm. 70—82) gebotenen messianischen Interpretation des Hirtenmotivs folgt. Im einzelnen war solche Verkoppelung unter messianischer Perspektive bereits in der Q-Überlieferung der Täuferanfrage gegeben. So wird auch von Lk in der Geschichte von Jesu erstem Auftreten (4, 18. 21) verarbeitet. Man kann daraus entnehmen, daß für die Vereinigung beider Komponenten auf das *Messiaskönigtum* Jesu offenbar der Verweis auf die messianisch gedeuteten Stellen Jes 35, 5 f und 61, 1 eine Rolle gespielt hat. Hatte diese Verkoppelung — die Erinnerung an Jesu Tun voraussetzend — zunächst seinen Sitz in der Missionsinstruktion? Mit der Ansage der Herrschaft (des Königtums!) Gottes war an sich immer schon das Motiv des kommenden šalom gegeben.

Die Bemerkungen zu Mt zeigen im übrigen, daß bei der synoptischen Konzeption des Friedensverständnisses im einzelnen noch Differenzierungen nötig sind (auch in der lukanischen Verwendung). Unterschiedlich ist auch, wie neben der kri-

Über den Verstehenshorizont der ausgebildeten synoptischen Konzeption von Jesus als eschatologischem Friedensbringer kann schließlich zusammenfassend dies festgehalten werden: 1. Zu den unbestreitbaren Voraussetzungen gehören verbreitete apokalyptische Erwartungen, nach denen *Gott in der Endzeit*, mit der Erscheinung seiner dann unbestrittenen Königsherrschaft bzw. mit dem Anbruch des neuen Äons, sowohl Satan samt seinen Geistermächten als auch allen Übeln dieser gegenwärtigen Welt, also insbesondere auch Krankheit, Leiden und Sterbenmüssen, ein Ende bereiten wird. 2. Als bekannt darf weiterhin die Erwartung gelten, daß während der endzeitlichen Herrschaft des *Messiaskönigs* neben vielen Übeln auch die Krankheit beseitigt wird[117], wahrscheinlich auch der Tod[118]. An ein aktives Handeln im Sinne des synoptischen Messiaskönigs ist hier allerdings nicht gedacht. Der vorauszusetzende Gedanke wird der sein, daß die die gerechte Weltordnung heraufführende Herrschaft des Messias den endzeitlichen Paradiesesfrieden mit sich bringt und garantiert[119]. 3. Nach der obigen Erörterung einiger darüber hinausgehender Belege besteht aber durchaus auch die Möglichkeit, daß die Erwartung eines *aktiven messianischen Eingreifens* gegenüber Krankheit und Herrschaft satanischer Mächte noch lebendig war. Auch eine urchristliche Verwandlung der weithin, d. h. bezüglich der politischen Implikationen, nicht übernehmbaren davidischen Messiaskonzeption durch Motive aus der priesterlichen Messiaserwartung — statt der stark

tischen Aufnahme bei Mk (s. u.), die auch Mt und Lk mit dem Mk-Entwurf übernehmen, z. B. bei Mt ein spezifisch anderer kritischer Gesichtspunkt noch daneben erhebliche Bedeutung gewinnt (vgl. nur 7, 15—23, bes. v. 22 f). Im vorliegenden Beitrag sollten zunächst einmal Grundlage und Gemeinsamkeit der synoptischen Konzeption herausgearbeitet werden.

[117] Ausdrücklich syrBar 29, 5 ff (s. o. Anm. 109 f); verschlüsselt 4 Esra 4, 26 ff (s. ebd.); ApkJoh 7, 17; 21, 4; 22, 2 vertritt insoweit nichts über die spätjüdische Apokalyptik hinaus und ist damit ein weiterer Beleg.

[118] Auch hierin hat Apk 21, 4 die normale Erwartung der ausgebildeten spätjüdischen Apokalyptik verwahrt. 4 Esra 7, 28 f begrenzt auf 400 Jahre; das Sterben des Messias ist singulär, verstehbar durch den Ausgleichsversuch zwischen irdischer und transzendenter Heilserwartung. Die Erwartung der Ausschaltung vorzeitigen (bösen) Sterbens syrBar 73, 3 entspricht einer alten Traditionsschicht, neben der unausgeglichen die neue Anschauung steht (21, 23 u. ö.), nach der es in der Endzeit das Sterben überhaupt nicht mehr gibt (vgl. dazu E. Brandenburger, Adam 55).

[119] Vgl. Abschnitt III und aus den zuvor beigezogenen Texten syrBar 73, 4 f. Der Zusammenhang von Sünde und ihren — bis in kosmische Sachverhalte ausstrahlenden — Unheilswirkungen steht hier mit im Hintergrund; vgl. dazu aus der synoptischen Tradition Mk 2, 1—12 (s. o. Anm. 89).

Daß in der stark politisch orientierten Messiaserwartung PsSal 17 solche Friedenswirkungen der Gerechtigkeit verbreitenden Messiasherrschaft nicht genannt werden, bedeutet gerade nicht, daß sie damit ausgeschlossen wären; vgl. im Gegenteil die alttestamentliche Tradition, AssMos 10, 1 im Zusammenhang 10, 1—10, 4 Esra und — wenn auch mit erheblicher Abwandlung des Kriegsmotivs — ApkJoh.

(wenn auch nicht nur) politisch orientierten βασιλεία die Herrschaft über Satan und seine Mächte[120] — muß erwogen werden.

Damit ist jedenfalls der wesentliche theologische Interpretationshorizont der synoptischen Konzeption gegeben. In ihm werden — anders als in der θεῖος ἀνήρ- Tradition — vor und neben Markus Jesu heilendes und exorzistisches Tun bereits verstanden worden sein, auch wenn die Art dieses Tuns die unter Punkt 3 genannten Erwartungen doch auch überschritten haben wird. Nach alle dem dürfte aber klar geworden sein, daß die — an sich nicht falsche — Feststellung, der Messias sei nicht als Wundertäter erwartet worden, dem differenzierten Sachverhalt gegenüber zu einfach ist und bei darauf aufbauenden Folgerungen leicht zu irrigen Ergebnissen führt. Die Betrachtung eines etwaigen einzigartigen Tuns Jesu an sich ist ziemlich fruchtlos; es ist von früh an in einem Interpretationshorizont betrachtet worden und hat damit eine Wechselwirkung in Gang gebracht.

Wie immer man bei dem zuletzt diskutierten Problem votieren mag, ein Tatbestand sollte dabei nicht verdeckt werden: Nicht nur in der apokalyptischen Konzeption vom Messiaskönigtum Jesu, auch in ihrer synoptischen Verwandlung sind zu einem guten Teil recht alte, in ihrem wesentlichen Grundbestand altorientalisch-alttestamentlich vorauszusetzende šalom-Erwartungen (eschatologisierte Paradiesesschilderungen) virulent. Das ist ein Sachverhalt, der neben der teilweisen Durchbrechung apokalyptischer Heilsverlagerung — bei der auch die Rückgewinnung des irdischen Jesus unter dem Aspekt seines Lebensvollzuges in den synoptischen Evangelien eine Rolle gespielt haben dürfte — doch auch kritisch-theologischer Reflexion bedarf. Denn die θεῖος ἀνήρ- „Christologie" der Traditionsschicht der Wundergeschichten war nicht zuletzt auch deshalb integrierbar, weil ihr Verständnis des durch göttlich-himmlische Kräfte geheilten, bereicherten und — selbst über die Todesgrenze hinaus — gesteigerten Lebens auf ein in dieser Hinsicht weithin gleichartiges Heilsverständnis stieß: eben auf die šalom-Erwartung, die als gemeinorientalischer Verstehenshorizont das theologische Denken in Israel mitgeprägt hat und als Denkvoraussetzung in veränderter Gestalt in der eschatologischen Heilserwartung der apokalyptischen Theologie, auch in ihrer urchristlichen Verwandlung, weiterhin zu einem guten Teil bestimmend blieb — selbst wenn gerade eine wesentliche Intention der apokalyptischen Theologie darin bestand, das irdisch-ungebrochene šalom-Verständnis im Rahmen des Tun-Ergehen-Zusammenhanges (mit seinen theologischen Aporien und skeptisch-existentiellen Konsequenzen) grundsätzlich zu überwinden.

Der darin liegenden Problematik — zuvor von Paulus klar erkannt und im Sinne seiner theologia crucis verarbeitet — ist sich gerade Markus, der in seinem Evangelium das Heilsverständnis der Traditionsschicht der Wun-

---

[120] Die Vorstellung vom Satansreich (in sich freilich nicht einheitlich) hat eine starke Affinität zu jenen apokalyptischen Kreisen (s. o. bei Anm. 97 und 107), in denen auch der priesterliche Messias eine erhebliche Rolle spielt.

dergeschichten mit der apokalyptischen šalom-Erwartung in einem literarischen Entwurf verbunden hat, wohl bewußt gewesen. Nicht nur ist der in den Wundern als Überwinder der satanischen Geistermächte und als Bringer des eschatologischen šalom sich erweisende Messiaskönig von Anfang (1,12 f[121]) bis Ende (14,26—42; 15[122]) mit Nachdruck als der gezeichnet, dessen Weg als die Erscheinung urbildlichen Gehorsams ans Kreuz führt und der als solcher der vollendet inthronisierte Gottessohn wird. Auch das Thema Jüngerschaft wird in den Rahmen dieses Weges eingebracht und von da aus theologisch reflektiert[123]. Damit ist, in teilweise verborgener Intention, eine grundsätzliche Krisis der ungebrochenen traditionellen šalom-Erwartung und aller parallelen Erscheinungen gegeben — auch hinsichtlich der eschatologischen Erwartung und ihrer als antizipiert gedachten Erfüllung. Man wird nicht übersehen dürfen, daß Markus so weit nicht gegangen ist, ohne eine differenzierte kritische Reflexion der Eschatologie auf der Basis der theologia crucis gar nicht gehen konnte. Über seine Eschatologie läßt sich nur soviel vermuten, daß sie einem Typ urchristlicher Apokalyptik entsprach. Mit der auf antizipierte Einlösung des eschatologischen šalom hin interpretierten Traditionsschicht der Wundergeschichten verbindet er auch (anders als Johannes) ein erhebliches positives Interesse. Ein systematischer Ausgleich findet sich nicht[124], schon gar nicht (wie auch sonst im Neuen Testament) hinsichtlich der Eschatologie. Dies aber schärft Markus offenbar ein: Heil kann und darf sich nicht mehr allein an der Einlösung des irdischen šalom als seinem letztgültigen Maßstab orientieren. Auch der ermöglichte und somit bejahte irdisch-eschatologische šalom ist umgriffen von dem gehorsamen Weg des Gottessohnes, der auch und gerade da Leben gewonnen hat, wo empirisch aufweisbar nur noch das Widerspiel guten Ergehens festzustellen war.

---

[121] Der im Vorspiel des MkEv kurz anvisierte Gedanke des Gehorsams ist in der Versuchungsgeschichte bei Mt und Lk mit anderem Material breit ausgebaut worden.

[122] Vgl. die Leidensankündigungen 8, 31 ff; 9, 30 ff; 10, 32 ff u. ä. — Vorausgesetzt ist das Verständnis der Kreuzigungsszene im Zusammenhang mit Ps 22 und dem Motiv des gehorsam leidenden Gerechten; vgl. auch E. Brandenburger, Σταυρός, Kreuzigung Jesu und Kreuzestheologie, WuD 10 (1969) 31 f (Literatur!).

[123] Siehe vor allem die Kompositionen Mk 8, 27—38; 14, 26—42 und die in 14, 29—31 anvisierten folgenden Notizen und Szenen 14, 50—52. 66—72. Für beide Kompositionen ist charakteristisch das reflektierte Ineinander von Christus-Weg und Jüngerschaft.

[124] Doch ist als möglicher Ansatzpunkt Mk 14, 36 zu beachten.

VI. Das Vermächtnis des Friedens Jesu
für die Seinen im Johannesevangelium

Auf diesen übergreifenden Gesichtpunkt allein konzentriert Johannes alles und rückt ihn unter das Thema Frieden. Mit extremer und monotoner Eindringlichkeit ist die Krisis des gängigen šalom-Verständnisses im Johannesevangelium thematisiert worden. Auch hier wird das faßbar in der kritischen Bearbeitung einer Traditionsschicht von Wundergeschichten. Doch läßt diese johanneische Bearbeitung den markinisch-synoptischen Entwurf weit hinter sich, indem sie das gleichartige, von der jeweiligen theologia crucis bewegte Anliegen radikalisiert. Beispielhaft und schlaglichtartig zeigt das die jeweilige menschliche Reaktion auf den in den Wundern epiphan werdenden Gottessohn oder Offenbarer und deren theologische Bewertung: Die kritische Beleuchtung in der markinisch-synoptischen Konzeption schließt nicht aus, daß gerade auch in den Wundern Jesus als eschatologischer Friedenskönig epiphan und als solcher gepriesen wird (Mk 11,1 ff parr). Die johanneische Bewertung solcher Epiphanie ist differenzierter, doppelbödiger; und darum entzieht sich der johanneische Jesus grundsätzlich dem Ansinnen, auf Grund des im Wunder erscheinenden irdisch-sichtbaren šalom zum eschatologischen König gemacht zu werden (6,14 f. 26—29).

Entsprechend hat der Evangelist in die Geschichte vom Einzug Jesu in Jerusalem (12,12—19) verändernd und interpretierend eingegriffen. 1. Es ist das die Wunder — wenigstens teilweise — mißverstehende Volk[125], das Jesus als dem messianischen Friedenskönig huldigt[126]. 2. Dessen Friedensverständnis rückt der Evangelist zurecht, wenn er das χαῖρε σφόδρα des Zitates aus Sach 9,9 durch μὴ φοβοῦ ersetzt[127] — ein Hinweis darauf, wie er den

---

[125] V. 17 f. Erste Gruppe: die um des Wunders willen Jesus entgegengehende und ihm huldigende Volksmenge (v. 12 ‖ 18). Zweite Gruppe: die auf Grund des Wunders glaubende Menge (11, 45; 12, 9 ‖ 17); zur Bewertung solchen „Glaubens" vgl. 2, 23 ff; 4, 15; 6, 14 f. 26 ff. Man beachte, daß es hier noch eine dritte Gruppe gibt: die Jünger (v. 16)!

[126] Vgl. Lk 19, 37 f zum Kontrast: Die *Jüngerschaft* bringt auf Grund der gesehenen Wunder den Lobpreis dar, der vom messianischen König und vom eschatologischen Frieden kündet.

[127] Daß das auf Jes 41, 10; 44, 2 zurückgehen könnte, ist weniger wichtig als das Motiv solcher Ersetzung. Es findet seine Erklärung in der Art, wie Johannes der in der Welt bedrängt und geängstet lebenden Jüngerschaft den Frieden Jesu vor Augen stellt, s. u. zu 14, 27 und 16, 33.

Frieden des Offenbarers der Jüngerschaft in den Abschiedsreden verkündet. 3. Aber ebendiesen anderen Frieden und den Sinn des Geschehens, das symbolisch-verborgen auf Jesu wahres Friedenskönigtum hinweist, verstehen die Jünger noch nicht, erst die im Todesgeschick Jesu sich ereignende Verherrlichung erschließt ihnen beides.

Die kritische Verarbeitung des in den Wundergeschichten implizierten šalom-Verständnisses wird also zunächst mehr andeutend und vorausweisend in der Einzugsgeschichte sichtbar, ehe sie an zwei Stellen der Abschiedsreden voll zur Sprache kommt. Was im Evangelium zuvor unter dem Gesichtspunkt des Glaubens reflektiert wurde, der sich nicht im irdisch-erfahrbaren Ertrag des Wunders, sondern vom darin symbolisierten Offenbarungswunder begründet und bestimmt weiß, wird jetzt parallel unter der Perspektive des Friedens bedacht. Von der kritischen Anfrage an den Glauben, der angesichts des drohenden irdischen Lebensverlustes versagt (16,31 f, vgl. 13,38), gleitet der Gedankengang hinüber zum Thema Frieden in 16,33. Das zeigt: Glaube im Vollsinn wird dadurch gekennzeichnet sein, daß die Jüngerschaft in das Kraftfeld des weltüberwindenden Friedens Jesu eintritt.

„Das habe ich euch gesagt, damit ihr in mir Frieden habt. In der Welt habt ihr Angst; doch seid getrost, ich habe den Sieg über die Welt davongetragen." (16,33)

„Frieden lasse ich euch zurück, meinen Frieden gebe ich euch. (Doch) nicht so, wie die Welt gibt, gebe ich euch. Euer Herz gerate nicht in Schrecken und verzage nicht!" (14,27)

Den Frieden, den Jesus als Offenbarer gewonnen hat, überläßt er der Jüngerschaft als Gabe für ihr Sein in der Welt. Das kritische Wort Jesu gegenüber dem versagenden Glauben hat den Sinn, daß die Jüngerschaft den ihr in der Heilssphäre oder im Kraftfeld des Offenbarers bereiteten Frieden sucht.

Die Welt versetzt in Angst und Schrecken, wenn das Leben, sofern es als šalom im Sinne guten Ergehens verstanden ist, zu entgleiten droht. In solcher Bedrängnis (12,27) hat der Offenbarer nicht den šalom der Welt, sondern in der Übernahme irdischen Lebensverlustes den Gehorsam gewählt[128], darin die bedrängenden Ansprüche der Welt besiegt[129] und ebendamit Frieden in einem das alte šalom-Verständnis überwindenden Sinne gestiftet. Es ist ein konsequenter Gedanke, daß solcher Friede nicht von der kosmischen Wirklichkeit und dem in ihr befangenen šalom-Verständnis gestiftet werden kann. Kosmischer Lebensdrang hat sein jeweiliges Ende in sich, und der darum wissende Mensch ist, sofern und solang er seine Existenz — auch

---

[128] 12, 27 f; 14, 31; 18, 11.

[129] Der ἄρχων τοῦ κόσμου wird zwar handeln, aber er gewinnt nichts an dem, der sich ihm (d. h. auch: dem Erwartungsprinzip des welthaften šalom als gutem Ergehen) nicht unterworfen hat (14, 30). Darin findet er sein Gericht (12, 31; 16, 11).

als „Glaubender" — am kosmischen šalom orientiert, immer zugleich durch die Weltangst befallen und in seinem Verhalten bestimmt.

Diese johanneische Konzeption vom Frieden ist sichtlich überwiegend eine Ausarbeitung jener urchristlichen Theologie, wie sie teilweise in den (weisheitlichen) Hymnen verwahrt ist[130]. Sie erscheint freilich in der Hinsicht überzogen, daß ein positives Verhältnis zur Weltverantwortung außer der des weltüberwindenden Glaubens nur selten sichtbar wird und damit auch für šalom als welthaftes Wohlergehen kaum Raum bleibt. Die Traditionsschicht der Wundergeschichten ist jedenfalls mit einer anderen Absicht verarbeitet als bei den Synoptikern.

Mögen insoweit sachkritische Erwägungen ergänzend am Platze sein, so darf mit ihnen doch nicht verschleiert werden, daß in der johanneischen Verarbeitung des Hymnenthemas vom gehorsam an die Welt sich ausliefernden und gerade darin sie überwindenden Präexistenten für das Verständnis des Friedens wie des Glaubens auch Unaufgebbares mit eindringlicher Monotonie zur Sprache gebracht ist. Das gehorsam übernommene Weltgeschick des Offenbarers hat ans Licht gebracht, daß Friede als welthaftes Wohlergehen nicht verläßlich ist, als Maßstab der Existenzorientierung die Grund- und Grenzerfahrung des Glaubens nicht zu bestehen vermag. Jener verläßliche Friede ist erschienen abseits solidarischer Aktivität von Menschenseite. Er ist allein gegründet und gehalten in der — vom gängigen šalom-Verständnis aus geurteilt — verborgenen Anwesenheit Gottes (16,32). Dem Glauben bleibt damit im Kraftfeld des Offenbarers auch da Frieden eröffnet, wo sich die kreatürliche šalom-Erwartung nicht einlöst oder gar ihr hartes, garstiges Widerspiel zu bewältigen ist: sei es im geschichtlichen Widerstreit[131], sei es in der Erfahrung bedrängender kosmischer Realitäten, die zwar im Laufe der Entwicklung vom Menschen nach Ausmaß und Härte zu reduzieren, aber nicht zu eliminieren sind.

[130] Vgl. IV und dazu das parallele Denkschema vom Kommen des Präexistenten in die Welt und seine Rückkehr zu Gott im Kontext der Friedensaussagen der Abschiedsreden 16, 27—30; 14, 2—4 u. ö.

[131] Als eine gewisse Vorstufe des johanneischen Friedensbegriffs in dieser Beziehung sei hier Sap 3, 1—3 (vgl. 4, 7) samt Kontext Kap. 1—5 genannt.

VII. Frieden mit Gott:
Die Verarbeitung urchristlicher Friedenskonzeptionen in der Theologie des Paulus

Bereits Paulus müssen verschiedene urchristliche Konzeptionen zum Thema Frieden vorgelegen haben. Denn die theologisch grundlegende Aussage zu diesem Thema in Röm 5,1 ff (vgl. zuvor 2 Kor 5,18—21) setzt Anknüpfung und kritische Auseinandersetzung hinsichtlich socher Konzeptionen gleicherweise voraus[132].

In Röm 3,21 ff expliziert Paulus das Evangelium als δικαιοσύνη θεοῦ ἐκ πίστεως. Dafür wird in Kap. 4 ein tiefschürfender „Schriftbeweis" geführt. In 5,1 rekapituliert Paulus kurz das Ergebnis und geht dann auf dieser Basis zur Darstellung der Freiheit des Glaubens zwischen Gegenwart und Eschaton über (Kap. 5—8). An diesem gewichtigen Knotenpunkt der Gedankenführung und noch immer und weiter als Explikation des Evangeliums formuliert er: δικαιωθέντες οὖν ἐκ πίστεως εἰρήνην ἔχομεν[133] πρὸς τὸν θεὸν διὰ τοῦ κυρίου ἡμῶν Ἰησοῦ Χριστοῦ.

Begriffen ist εἰρήνη in diesem Gedankengefüge als der die Gegenwart des Glaubens charakterisierende und bestimmende Friedenszustand, der einen Zustand vorausgehender Feindschaft mit Gott abgelöst hat. Daß so zu verstehen ist, zeigen weitere Wendungen in 5,1—11 und im Paralleltext 2 Kor 5,18 ff. Hier wird das Heilsgeschehen parallel zu den Aussagen, daß Gott durch Christus den Menschen in die Rechtheit vor Gott versetzt hat, mit den Wörtern καταλλάσσειν und καταλλαγή beschrieben. Nicht nur Sündern und Gottlosen (Röm 5,6), sondern geradezu seinen *Feinden* (ἐχθροί 5,10 f, vgl. 8,7) hat Gott im eschatologischen Jetzt Versöhnung, Friedensstiftung zuteil werden lassen. Das ent-

---

[132] Daß Paulus außerdem an der urchristlich-apokalyptischen Konzeption des endzeitlichen Friedens teilweise partizipiert, ist oben (S. 25) bereits gezeigt worden.

[133] Diese Lesart, obwohl in der Textüberlieferung an sich weniger gut bezeugt, wird vom Kontext her zwingend gefordert, vgl. H. Lietzmann, HNT 8, ³1933, z. St. Anders zuletzt O. Kuss, Der Römerbrief, 1957, 201 ff und E. Dinkler, a.a.O. 463; aber Gal 5, 25 und auch 2 Kor 5, 20 sind nicht wirklich sachentsprechende Parallelen. Die andere textkritische Entscheidung bei Kuss und Dinkler zeigt überdies, daß man den (indikativischen) Gedanken des Friedens mit Gott dann in der Aussage von der geschehenen Rechtfertigung oder Versöhnung voraussetzen muß. Insofern ist das Folgende von der textkritischen Entscheidung unabhängig.

scheidende Tun, zu dem die Glaubenden als die versöhnten Feinde Gottes gedrängt sind, ist damit die διακονία τῆς καταλλαγῆς (2 Kor 5,18), die mit der διακονία τῆς δικαιοσύνης identisch ist (3,9). Dieser Dienst besteht in der Kundmachung des Evangeliums als Offenbarwerden der Rechtheit vor Gott auf Grund des Glaubens (Röm 1,16 f), das gleichbedeutend auch λόγος τῆς καταλλαγῆς heißen kann (2 Kor 5,19). Der Epheserbrief bietet dafür später ausdrücklich und auch von der Formulierung Röm 5,1 her ganz konsequent die Wortverbindung εὐαγγέλιον τῆς εἰρήνης (6,15). Daß solches Frieden stiftende „Wort" nicht mit unserm weithin formalen und kraftlosen Wortbegriff verwechselt und ausgespielt werden darf und wie es die gesamte Existenzweise bestimmend gedacht ist, lehren Theologie, Paränese (s. VIII) und speziell das Verhalten des Paulus insgesamt eindrücklich.

Für die paulinische Gedankenbewegung und theologische Auseinandersetzung mit dem Thema Frieden ist eine These E. Käsemanns[134] von Bedeutung. Er meint, Paulus habe dieses Thema aus einer Überlieferung aufgenommen, wie sie überarbeitet und kommentiert in den Deuteropaulinen noch erkennbar sei, und zwar stamme diese Tradition aus ursprünglich hymnischliturgischem Gut, aus der Doxologie der hellenistischen Gemeinde (48 f). Paulus habe das Motiv der Versöhnung in seine Theologie eingeführt, um den Gedanken der iustificatio impiorum steigern zu können; er spitze also die Rechtfertigung zu auf die Rechtfertigung der Feinde Gottes (49).

Das letztere wird zutreffen. Schon R. Bultmann hatte übrigens bemerkt, „daß in der Rede von der καταλλαγή die Intention des Paulus, den Menschen radikal von der Gnade Gottes abhängig sein zu lassen, noch deutlicher zum Ausdruck kommt als in der Rede von der δικαιοσύνη θεοῦ"[135]. Wahrscheinlich ist auch, daß die Konzeption der kosmischen Friedensstiftung von Paulus bereits sekundär verarbeitet wird: Der sekundär verwendete Hymnus in Phil 2 entstammt weithin einer ähnlichen Atmosphäre, und die Wendung καταλλαγή κόσμου Röm 11,15 erscheint in der Tat so unvorbereitet wie formelhaft. Zusätzlich kann man darauf hinweisen, wie das Stichwort καταλλαγή geradezu notwendig den Gedanken des κόσμος nach sich zieht, so 2 Kor 5,18 ff und eher noch auffallender im Übergang von Röm 5,11 zu 5,12—21. Für Paulus verbindet sich mit κόσμος allerdings der Begriff der Menschenwelt, und das zeigt bereits die Richtung, in der er jene urchristliche Traditionsschicht in diesem Punkte interpretiert.

Bestreitbar ist aber, daß Paulus das Thema Frieden nur um der genannten Zuspitzung der Rechtfertigungsbotschaft willen und ausschließlich im Rahmen jener Konzeption der kosmischen Friedensstiftung aufgenommen hat. Es dürfte auch nicht so beiläufig verwendet sein wie die schmale ter-

---

[134] Erwägungen zum Stichwort „Versöhnungslehre im Neuen Testament", in: Zeit und Geschichte, Dankesgabe an R. Bultmann zum 80. Geburtstag, 1964, 47—59. Zur traditionsgeschichtlichen Problematik vgl. auch D. Lührmann, Rechtfertigung und Versöhnung, Zur Geschichte der paulinischen Tradition, ZThK 67 (1970) 437—452.

[135] Theologie des Neuen Testaments, ⁴1961, 287.

minologische Basis anzudeuten scheint[136]. Immerhin erscheint das Thema Friede, wie wir sahen, in Röm 5,1 betont und an einer gewichtigen Weichenstellung der paulinischen Darlegung dessen, was er unter Evangelium versteht. Die Verzahnung der Themen des gegenwärtigen Friedens und der Hoffnung, die auf den endgültigen šalom gerichtet ist (δόξα θεοῦ v. 2, vgl. v. 9 f), findet sich nicht nur hier, sondern in gewisser Weise auch in den je eigenen Abschlußwendungen 15,33 und 16,20, wo die vom „Gott des Friedens" ausgehenden Segenswirkungen gegenwärtiges und apokalyptisch-endzeitliches Geschehen überspannen. Vor allem aber ist hier darauf hinzuweisen, daß die resümierende Aussage über den mit der Rechtfertigung beschafften Frieden mit Gott in Röm 5,1 gar nicht, wenigstens nicht primär, der an sich mit Recht behaupteten Zuspitzung dient. Diese Aussage ist vielmehr an der zusammenfassend deutenden Feststellung interessiert, daß das eschatologische Jetzt, also der Gnaden- und Glaubensstand zwischen geschehener Rechtfertigung und noch ausstehendem Eschaton, durch den Zustand des Friedens mit Gott und die damit entbundenen reichen Segenswirkungen gekennzeichnet und bestimmt ist. Die Bedeutung dieser Aussage hat bisher wohl darum wenig Beachtung gefunden, weil über ihren Bezug im Kontext und die dafür maßgebenden Voraussetzungen in spätprophetischen Anschauungen und ihre möglichen Nachwirkungen im Zusammenhang urchristlicher Bundestheologie (Röm 3,25 u. ä.) kaum nachgedacht worden ist[137]. Dem soll im Folgenden etwas eingehender nachgegangen werden.

Im Gedankengang der zusammenfassenden Entfaltung der paulinischen Botschaft im Römerbrief ist der Zustand, der vom eschatologisch-gegenwärtigen Friedenszustand abgelöst wird, unter den Leitgedanken der ὀργή θεοῦ gestellt (1,18 ff). Gott hat den Menschen, der die Anerkennung seiner Gottheit im Grundverhalten und im konkreten Tun verweigert, ans Sündetun hingegeben, geradezu zwanghaft ausgeliefert (1,24 ff). Auch der Jude, das Urbild des Menschen, dem der Rechtswille Gottes in besonderer Form offenbar ist, steht im Bannkreis verfehlten Existierens, sowohl in der praktischen Verleugnung des Gotteswillens, als auch im Mißbrauch an sich guten Tuns zur Selbstbehauptung vor Gott (2,1 ff; 3,9 ff. 19 f). Alle sind in solchem Ungehorsam, in solcher Feindschaft gegen Gott (5,10 f; 8,7) zwanghaft unter das Prinzip ihres verfehlten Existierens zusammengeschlossen, hineingebannt (11,32; Gal 3,22 f). Der Feindschaft von seiten des Menschen entspricht von seiten Gottes sein Zorneswalten, das sich auswirkt in einem feindlichen Angegangensein und Behaftetwerden in der Verfehlung mit allen daraus fließenden Unheilswirkungen. Zwar gerade nicht die Radikalität und Universalität, aber doch einen wesentlichen Grundgedanken dieser Konzeption teilt auch

---

[136] Die Kritik E. Käsemanns an der dogmatischen Versöhnungslehre bleibt im übrigen weithin berechtigt.

[137] Entsprechendes gilt auch für die Exegese der betreffenden alttestamentlichen Stellen; doch vgl. jetzt die Aufnahme bei H. H. Schmid, a.a.O. 80 f. Zu fragen wäre auch nach den Voraussetzungen für die Verbindung des Melchisedek-Motivs (Gerechtigkeits- und Friedenskönig) mit der Überlieferung der Bundes- bzw. Sühnopfertheologie.

die vorpaulinische Bundestheologie, die Paulus in einer traditionellen Formel in Röm 3, 24 f aufnimmt und weiterführend kommentiert.

Nun läßt sich, wenn wir von den Besonderheiten der paulinischen Verkündigung zunächst absehen, eine analoge Gedankenstruktur in einigen späten prophetischen Texten nachweisen, die hier in dem Gedanken des בְּרִית שָׁלוֹם kulminiert, der auch als בְּרִית עוֹלָם charakterisiert wird (Ezech 34,25; 37,26; Jes 54,7 ff). Von einer Selbstverpflichtung Jahwes, den endgültigen šalom zu stiften und unverbrüchlich zu wahren, ist die Rede. Das für unsere Frage Interessante ist die Verknüpfung der eschatologischen, bei Ezechiel auch eindeutig messianischen Friedensaussage mit der Gedankenstruktur des Kontextes, in dem deuteronomistische Gedanken verarbeitet sind[138]: Der Ungehorsam des Volkes Jahwe gegenüber hat die Exilierung und alle damit verbundenen Übel zur Folge gehabt. Und dieses negative Ergehen, die Abwesenheit und das Widerspiel von šalom, ist teilweise als richtend-strafendes Handeln Jahwes, aber auf jeden Fall als Unheilswirkung verfehlten Tuns verstanden. Vom „Aufwallen des Zornes" — und damit dem Entzug des gnädigen Friedenswaltens — ist ausdrücklich die Rede (Jes 54,8 f). Bezeichnenderweise wird das Ganze mit dem Geschehen zur Zeit Noahs (Ungehorsam, Strafhandeln Jahwes und Bundesschluß: Gen 6—9) parallelisiert (Jes 54,9 f)[139]. Der den šalom wiederum erschließende Bund löst den Zustand des Zorneswaltens Gottes ab, wie die εἰρήνη πρὸς τὸν ϑεόν in Röm 5,1 an die Stelle der wirkenden ὀργὴ ϑεοῦ (1,18 ff) tritt. Wie bei Paulus ist das Zornes- und Gerichtswalten Gottes, das feindliche Agieren gegen sein Volk[140], umgriffen von seiner Treue. Sie bekundet sich in einem Gnadenerweis Gottes, der so selbst die Möglichkeit seines Friedenswaltens schafft. Zorn Gottes und Behaftetwerden des Menschen im verfehlten Daseinsvollzug werden unverdient und unerwartbar in Frieden gewendet.

[138] Auf eine Differenzierung der in manchem voneinander abweichenden Texte muß hier verzichtet werden.

[139] Zur Gedankenstruktur vgl. als weiteres Beispiel 2 Chr 29: Sünde des Volkes, Zorneswalten Jahwes, Versuch des Bundesschlusses, damit Jahwe von diesem Zorneswalten abläßt. Vom Frieden ist hier nicht ausdrücklich die Rede, doch gehört der Gesichtspunkt des göttlichen šalom-Waltens wie im Noah-Beispiel und den genannten prophetischen Texten zu den Voraussetzungen des Gedankenzusammenhanges (weshalb auch jenes Beispiel Jes 54, 9 f in diesem Sinne aufgegriffen werden kann). Friedens- und Zorneswalten Gottes sind die Alternativen, in denen diese Texte (wie in veränderter Form auch Röm 1, 18 ff und 5, 1 ff) denken.

Das Ineinander von Gottes gnädigem Gerechtigkeits- und Friedenswalten hat noch die Melchisedekspekulation (Hebr 7, 1 ff) verwahrt (wie es ebenfalls die Voraussetzung für die zusammenfassende Feststellung Röm 5, 1 bildet).

Abweichend von den anderen Texten steht 2 Chr 29 der Sühneopfergedanke im Mittelpunkt, der dann auch in der urchristlichen Bundestheologie — nun freilich christologisch verändert — eine erhebliche Rolle spielt.

[140] Paulus bezieht freilich auf die Menschenwelt insgesamt (κόσμος, πάντες); doch die von ihm verwendete und interpretierte Glaubensformel Röm 3, 24 f denkt im Rahmen des restituierten Bundesvolkes.

Freilich ist eine Reihe von Unterschieden nicht zu verkennen. So entspricht die Rede von der šalom erschließenden Bundesstiftung, auch die vom gnädigen, erbarmenden und erlösenden Gotteshandeln nicht einfach der im paulinischen Friedensverständnis vorausgesetzten Rede vom Versöhnungshandeln Gottes (καταλλάσσειν), ganz abgesehen vom besonderen Gedanken der καταλλαγὴ κόσμου. Aber mit dieser Sprache, die Frieden durch Versöhnung von Feinden bewirkt sieht, konnte Paulus jene Gedankenstruktur in der genannten spätprophetischen Anschauung aufnehmen und verschärfen, die im sündigen Ungehorsam wie im Zorneswalten Gottes ein sich entsprechendes feindliches Angegangensein sieht, das im šalom bringenden und wahrenden Bund durch Gottes Treue und Gnade zu Ende kommt. Paulus bringt demnach ein Motiv aus der Überlieferung der kosmischen Friedensstiftung in die Gedankenstruktur jener anderen Konzeption vom eschatologischen Friedensbund ein. Diese könnte ihm urchristlich in jener Traditionsschicht, aus der Röm 3,24 f stammt, vermittelt worden sein.

Auch der šalom, den jener Friedensbund gewährt, ist schon sprachlich nicht einfach mit der εἰρήνη πρὸς τὸν θεόν deckungsgleich. Jener šalom meint die Segenswirkungen selbst, wie sie in den Kontexten anschaulich beschrieben werden; der „Friede mit Gott" hebt zunächst auf den Innenaspekt, die Relation des Friedenszustandes ab, aus der dann allerdings geradezu notwendig die Segenswirkungen des šalom entlassen sind, wie aus dem in Gottes Gnadenerweis gründenden Bund. Letzteres und die beschriebene analoge Gedankenstruktur der jeweiligen Kontexte machen den Schluß unausweichlich, daß die sprachliche Differenz nur eine sekundär interpretierende Variation einer gemeinsamen Grundlinie theologischen Friedensverständnisses ist. Mag die vermutete Traditionslinie über die vor- und nebenpaulinische urchristliche Bundestheologie auch noch nicht in allem deutlich genug greifbar sein, so ist doch die Gedankenstruktur jener spätprophetischen Texte (vor allem Jes 54), die eine Weiterbildung im Sinne des Sühnopfergedankens erfahren haben dürfte, der wahrscheinlichste primäre Verstehenshorizont, in dem Paulus den Gedanken des im Christusgeschehen vermittelten Friedens mit Gott im Kontext des Römerbriefs zur Sprache bringt. Daß der Gedanke der εἰρήνη πρὸς τὸν θεόν aus der Konzeption der kosmischen Friedensstiftung stammt, darf wegen deren anderer Orientierung des Feindschaftsmotivs (Feindschaft im Gesamtkosmos und quer durch Menschenwelt und Einzelmenschen hindurch) als ausgeschlossen gelten[141]. Eine starke Affinität hat die Wendung hingegen zur aufgezeigten Gedankenstruktur, in der sie auch im Kontext des Römerbriefes fest verankert erscheint, wann immer sie, sei es vorpaulinisch oder erst durch Paulus, zugewachsen sein mag. Zu beachten ist die eschatologische (und teilweise messianische) Ausrichtung jenes Friedensgedankens. In diesem Zusammenhang sei nochmals an den parallelen Gedanken in der urchristlich-apokalyptischen Konzeption des Friedens

[141] Vgl. auch oben bei Anm. 17.

erinnert, daß die Erscheinung der Weltordnung des Friedens die Außerkraftsetzung von Satan, Sünde und deren Fluchfolgen zur Voraussetzung hat[142].

Man wird diesen eschatologisch-zukünftigen Horizont des šalom auch bei Paulus nicht als etwas Nebensächliches, zu den Segenswirkungen des gegenwärtigen Friedenszustandes mit Gott eigentlich nicht oder nur als Randerscheinung Zugehöriges abblenden dürfen[143]. Historisch betrachtet wäre damit jedenfalls aus einem übergreifenden, von seinen alttestamentlichen und apokalyptischen Voraussetzungen her in sich schlüssigen Gedankengefüge eine wesentliche Komponente herausgebrochen. Wohl kann man fragen, ja muß man entscheidend beachten, wo das Schwergewicht liegt und in welcher Richtung sich eine neue, unter Umständen gegenläufige theologische Intention in solchem Denkgefüge Bahn bricht. Wir stellen diese Frage im Folgenden, ohne ins einzelne gehen zu können, gegenüber der apokalyptischen Konzeption, aber auch gegenüber der Konzeption der kosmischen Friedensstiftung, die Paulus ebenfalls kritisch verarbeitet.

Eine ganz wesentliche Grundlage apokalyptischen und mit bestimmten Veränderungen auch urchristlich-apokalyptischen Denkens ist die Erfahrung der Heilsleere, der Abwesenheit des šalom in der Gegenwart und die brennende Erwartung seiner Einlösung in (naher) Zukunft. Vor allem im Blick auf ersteres ist festzustellen, daß Paulus die apokalyptische Konzeption samt ihrem Friedensverständnis in einer entscheidenden Denkbewegung durchbrochen hat. Denn er kann das Evangelium als Offenbarwerden der Gottesgerechtigkeit dahingehend zusammenfassen, daß damit der eschatologische šalom mit dem διὰ ᾽Ιησοῦ Χριστοῦ von Gott gestifteten Friedenszustand mit Gott gegenwärtig wirkungsmächtig in Geltung gesetzt worden ist. Die Beschreibung der Gegenwart der wirkenden Gerechtigkeit Gottes bzw. des mit ihr zum Leben gekommenen Glaubens in Röm 5—8 ist zugleich eine Ausführung jenes aus dem Friedenszustand mit Gott entlassenen šalom-Wirkens: das Sein in der Heilssphäre der Gnade (5,2); das Hineingezogenwerden in die äonenwendende Ablösung der Herrschaft von Sünde, Gesetzlichkeit und Tod durch die im Heilsgeschehen Christi, des Kyrios, vermittelte, inthronisierte Gnadenherrschaft (5,12—21; 7); in anderer Sprache die Versetzung aus der Machtsphäre des von der Sünde besessenen Fleisches in die Heils- und Herrschaftssphäre des Christuspneuma[144]; damit die Befreiung zu neuem Wandel unter der fördernden, ordnenden Macht Gottes und sei-

---

[142] Dazu s. o. S. 23 f, Punkt 3 und 6, und vor Anm. 61.

[143] Vgl. oben S. 25 ff.

[144] Kol 3, 15 kennt entsprechend den „räumlichen" Gedanken der Sphäre des Friedens Christi. Wie im religionsgeschichtlichen Hintergrund dieser Sprache (dazu E. Brandenburger, Fleisch und Geist, 197—216) wechselt die Aussage dabei auch zu der vom Insein der Friedensmacht im Menschen hinüber. Insgesamt scheint der Gedanke im Kol sowohl von der Konzeption der kosmischen Friedensstiftung als auch durch Paulus beeinflußt. Vgl. dazu das Moment der „Verkirchlichung": die Kirche ist jetzt der „Raum" des Friedens Christi (vgl. Eph 2, 11—22 und s. u. IX); doch ist für Paulus das Sein ἐν Χριστῷ oder ἐν πνεύματι und im σῶμα Χριστοῦ nicht einfach identisch (vgl. ebd. 49 bei Anm. 2).

nes Rechtswillens (grundsätzlich: 6; 8,3 f; konkret: 12—15). All diese grundlegenden Ausführungen bezeichnen zugleich die Segenswirkungen des šalom
— Heilsgegenwart und Heilszukunft umgreifend[145] —, darin dem oben dargelegten alten Grundgedanken verpflichtet, daß die Erscheinung der Herrschaft Gottes den Frieden nicht nur bringt, sondern als solche auch garantiert,
wahrt, d. h. in seiner Wirkungsmächtigkeit erhält.

Aufschlußreich ist der Vergleich mit der teilweise ähnlichen Verwandlung der apokalyptischen Konzeption in ein gegenwärtig-eschatologisches
Friedensverständnis bei den Synoptikern. Dort ist die gegenwärtig-antizi-
pierende Erscheinung des šalom weitgehend konzentriert auf den Sieg über
die satanisch-dämonischen Geistermächte, und zwar in dem Sinne, daß damit Krankheit, Leiden und Tod ein Ende finden. Mindestens Vorformen
dieser Konzeption kennt auch Paulus[146], doch ist seine Konzeption konzentriert auf den Frieden mit Gott im Rechtfertigungsgeschehen bzw. die Überwindung der Verderbensmächte Sünde und Gesetz und die gehorsame Unter-
stellung der Menschenwelt unter die heilsame Herrschaft von Gnade und
Gerechtigkeit. Für beide Gedankenbewegungen liefert der Hintergrund der
endzeitlichen šalom-Erwartung die Anknüpfungspunkte — um so bedeutsa-
mer, welche Komponente theologisch dominiert.

Wie stark die apokalyptische Konzeption bei Paulus in der Sache verwandelt ist, wird auch daran deutlich, wie in seiner Entfaltung der Gegenwart der Gnadenherrschaft bzw. des Rechtfertigungsglaubens die ontolo-
gisch-naturhaften Implikationen der apokalyptischen Friedenserwartung
uminterpretiert werden. Neue Schöpfung — ursprünglich die die gegenwärtigen Daseinsbedingungen der Welt auch ontologisch völlig verwan-
delnde Schöpfung des himmlischen, neuen Äons — ereignet sich im eschatologischen Jetzt der Rechtfertigung des Gottlosen, der Versöhnung der
Feinde Gottes zum Frieden mit Gott. Solche Friedensstiftung ist ja nichts
weniger als Schöpfung aus dem Nichts (Röm 4,17) oder Totenerweckung
(4,17; 6,13; 11,15). Entsprechend wird der ursprünglich apokalyptische Begriff der καινὴ κτίσις an zwei Stellen, dabei 2 Kor 5 deutlich im Zusammenhang des Gedankens der Friedensstiftung Gottes in Christus, umgeformt:
Wo Neuschöpfung waltet, ist das Selbstlob ausgeschlossen (5,11—17), denn
sie kommt im Lobpreis des Reichtum spendenden Gottes zum Ziel (Röm
11,35 f; 15,6; vgl. 10,12 f). Der Rechtfertigungsglaube usurpiert darum auch
nicht die Gabe Gottes (hier Verheißung und Gesetz) zur Selbstverwirklichung, verhält sich vielmehr entsprechend der im Kreuz Christi in Kraft
gesetzten neuen Ordnung, d. h. er lebt aus der καινὴ κτίσις (Gal 6,14—16).

---

[145] Beides in besonders enger, argumentierender Verbindung: 5, 1—11 und 8, 11 ff.
Betonter Abschluß von Redeeinheiten mit Verweis auf die Heilszukunft: 5, 21
und 6, 23.

[146] Vgl. 2 Kor 12, 11—13; doch wird das zugleich auch paradox überspielt: 12, 9 f,
vgl. 6, 4 ff u. ä. Vor allzu alternativer Interpretation mag aber immerhin 1 Kor
11, 30 f warnen.
    Zu Differenzierungen in der synoptischen Konzeption (Mt!) siehe nochmals
oben Anm. 116.

Aus solch engem Zusammenhang von Rechtfertigungsglaube und theologia crucis wird verstehbar, inwiefern für Paulus auch und gerade da unzerstörbares Leben gegenwärtig offenbar wird, wo im Hinschwinden zum Tode nach traditionellem šalom-Verständnis (Leben als gutes Ergehen) nur noch sein Widerspiel sichtbar bleibt (2 Kor 4,7 ff). Von daher schließt sich der Kreis zu der Friedensaussage Röm 5,1, von der wir ausgingen, insofern dadurch die christologische Grundlage deutlich wird, die als Auswirkung des Friedens mit Gott hart daneben auch den Lobpreis der Drangsale und Bedrückungen welthaften Daseins zu setzen wagt (v. 3).

Freilich machen gerade die beiden letztgenannten Texte klar, wie solcher Gedanke doch auch mit der apokalyptischen šalom-Erwartung noch verklammert ist: mit dem Ziel des Kettenschlusses Röm 5,3—5 und seiner Wiederaufnahme in 5,8 ff; im Ausmünden von 2 Kor 4,7 ff in 5,1—10 (οἴδαμεν γάρ...). Gewiß geht es in diesem eschatologischen Horizont primär um die endgültige Inkraftsetzung und Bestätigung des im Verstehensrahmen des gängigen šalom-Verständnisses bestritten bleibenden Glaubensvollzuges. Aber die damit verquickten ontologischen Implikationen sind kaum zu übersehen[147]. Die neue Erkenntnis bricht sich nicht geschichtslos Bahn. Die Eschatologie des Paulus ist teilweise auch dem geschlossenen Gedankengefüge apokalyptischer Theologie verhaftet.

Kaum weniger bedeutsam ist die Gedankenbewegung, mit der Paulus die Konzeption der kosmischen Friedensstiftung in seine Anschauung von dem in der Rechtfertigung gestifteten Frieden mit Gott kritisch aufnimmt. Von der positiven Anknüpfung, durch die er Radikalität und universale Geltung seiner Rechtfertigungsbotschaft und damit auch seines Friedensverständnisses deutlicher zur Sprache bringen kann, war bereits die Rede. Hier ist noch kurz im Vergleich mit Paulus zu bedenken, wie jene andere Konzeption den Unheilszustand stark in Richtung auf ein kosmisches Geschick und Verhängnis hin versteht. Zum einen ist dabei der Gesamtkosmos in feindliche Bereiche oder Machtsphären aufgeteilt, zum andern führt der Riß im kosmischen Geschehen entsprechend mitten durch menschliches Dasein hindurch: der Mensch ein Sklave der kosmischen Verhältnisse. Im Zusammenhang paulinischen Friedensverständnisses hingegen wird der Mensch als Sünder vor den richtenden und doch unverbrüchlich treuen Gott gestellt: so nämlich, daß er einerseits seine verfehlte Daseinsweise und die Friedlosigkeit der Menschenwelt als ein schuldhaftes, von ihm selbst zu verantwortendes Geschehen, in dem der richtende Gott am Werke ist, anerkennt, und daß er zugleich andererseits sich der im Christusgeschehen offenbar und wirksam gewordenen Rechtheit vor Gott gehorsam unterstellt, die bereits gegenwärtig Frieden wirkungsmächtig aus sich entläßt. Paulus wagt von solcher Gegenwart des Friedens zu sprechen, wiewohl er die Friedlosigkeit der Weltverhältnisse nicht im geringsten verschleiert, ja gerade mit ihrer zerstörerischen Wirkung am eigenen Leibe in besonderer Weise Bekanntschaft gemacht hat. Er

---

[147] Zum apokalyptischen Kontext vgl. nochmals oben S. 23 f; zum teilweise analogen Problem S. 24—28 und S. 45 f.

tut das aber nicht so, daß er sich in einem ausgegrenzten Bereich diesen Verhältnissen weltflüchtig entzieht[148]. Sein Friedensverständnis ist nicht primär im Gegensatz zu den feindlichen Weltverhältnissen entworfen, darum ist die Weltverantwortung integriert — ein erheblicher Unterschied zu der im Gefolge der weisheitlichen Hymnen entworfenen dualisierten Friedenskonzeption des Johannes, obwohl Paulus mit ihr darin übereinstimmt, daß der die Glaubenden umschließende Christus-Friede auch am Widerspiel des šalom als gutem Ergehen nicht zunichte wird, ja gerade hier als Glaube in besonderer Weise zum Leben kommt. Paulus sieht die Entscheidung über Entzug oder Wirkungsmächtigkeit des Friedens in der Relation zwischen Gott und Mensch fallen. Er kann darum Frieden weder von der Selbstverwirklichung des Menschen noch vom Rückzug aus Gottes Schöpfungswelt, noch auch vom bloß äußeren Wandel von Verhältnissen und Strukturen erwarten. Ohne die je konkrete Anerkennung der im Christusgeschehen erschienenen heilsamen Herrschaft blieben das alles nur Varianten innerhalb des Machtbereichs von sündigem Ungehorsam und Gesetzlichkeit.

Im Zusammenhang dieser Überlegungen ist nun freilich, wenn auch vorerst mit etwas groben Strichen, auf ein Problem aufmerksam zu machen, das exegetisch-theologisch insgesamt kaum bedacht wird, aber auch speziell für die weitere theologische Reflexion zum Thema Frieden nicht unwichtig ist.

Weisheitliche Weltbetrachtung hat zunehmend auch vor- und außerschuldhafte Spannungen im Kosmos wie im Menschen bedacht; und weisheitliche Theologie hat solche Betrachtungen in verschiedenen Stadien, je nach Lage der Erkenntnis und der geistigen Auseinandersetzung, zu integrieren sich bemüht.

Apokalyptische Theologie hingegen, in deren Verstehenshorizont auch Paulus sein theologisches Denken entfaltet und in deren Perspektive er weisheitliche Betrachtung einbezieht (z. B. 1 Kor 15, 56 nach 15, 42 ff), hat diese Betrachtungsweise abgeblendet: Jedwede Spannung und Kluft im Weltgeschehen und alle Übel als böses Ergehen (Abwesenheit von šalom) bis hinein in kosmische Bezüge werden hier als Straffolge der Sünde, teils als Sündenverhängnis von uran, gedacht. Das ursprüngliche theologische Anliegen ist klar: Gegenüber den skeptischen — und zwar existentiellen und antitheologischen — Konsequenzen, gegenüber einer sich in dualistisch-kosmische Weltbetrachtung verstrickenden theologischen Weisheit soll daran festgehalten werden, daß der Mensch den Gotteswillen kennt, verfehltes Dasein samt seinen Fluchfolgen selbst zu verantworten hat und daß die Schöpfung durch Ungehorsam, nicht durch Gottes ursprüngliches Walten in Friedlosigkeit pervertiert wird.

Zaghafte Ansätze für eine mögliche theologische Vermittlung mag man an einigen wenigen Stellen des Johannesevangeliums finden; doch sind sie auch hier mit einer dualistischen Unterströmung verquickt. Dieser Sachverhalt, daß die weisheitliche — wir könnten dafür heute auch in etwa sagen: wissenschaft-

---

[148] Vgl. z. B. die instruktive Gedankenbewegung Phil 1, 21 ff.

liche — Betrachtungsweise aus verständlichen Gründen im Neuen Testament nahezu gänzlich abgeblendet ist, hat verheerende Folgen gehabt. Die Entfremdung beider Betrachtungsweisen wirkt noch immer stark nach und belastet durch — teilweise ideologisch fixierte — verhärtete Systembildung auch Nachdenken und Bemühen um den Frieden.

VIII. Beiträge paulinischer Paränese zu Begriff und Verwirklichung des Friedens

Die grundlegende Feststellung des im Rechtfertigungsgeschehen gestifteten Friedenszustandes mit Gott leitet eine breite Entfaltung des damit entlassenen šalom-Wirkens in der Gegenwart ein, das, wie erwähnt, auch die Paränese mit einbezieht. Dieser Zusammenhang kann hier nicht im einzelnen verfolgt werden. Stattdessen sollen in diesem Abschnitt einige paränetische Texte herausgegriffen werden, in denen das Stichwort εἰρήνη eine Rolle spielt. Von ihnen darf erwartet werden, daß sie erkennen lassen, unter welchem Begriff Paulus die gegenwärtige Wirksamkeit des Friedens erfaßt. Wir beginnen bei einem einfacheren Beispiel und gehen dann zu stärker theologisch reflektierenden Texten über.

Nach *1 Kor 7, 12—17* soll ein Christ, wenn sein heidnischer Ehepartner sich von ihm trennen will, nicht an ihn oder wahrscheinlicher an diese Ehe gebunden, geknechtet sein (οὐ δεδούλωται). Begründung: ἐν δὲ εἰρήνῃ κέκληκεν ὑμᾶς ὁ θεός, Gott hat euch doch zum[149] Frieden berufen. Dem von Jesus verkündeten Gotteswillen, daß die Ehe unauflöslich sein soll, wird die in der Berufung zum Glauben bestätigte Fürsorge Gottes für den šalom des Menschen als entscheidend gegenüber gestellt. Der unbedingte Gotteswille bleibt bestehen (7,10). Wo aber seine Absicht in einer gescheiterten Ehe ad absurdum geführt wurde, soll das heilsame Gebot nicht zum versklavenden Gesetz werden, vielmehr übergreift Gottes Friedenswille auch menschliche Schuldverhaftung. Εἰρήνη ist hier also stärker von šalom her zu verstehen, und es verbindet sich bei Paulus damit näherhin der Begriff des Heilsamen und Förderlichen.

Dies letztere läßt sich auch an *1 Kor 14, 26—33* beobachten und vertiefen. Das geordnete Zusammenwirken der Gemeindeglieder mit ihrer je eigenen oder gleichartigen Pneumabegabung wird hier von Paulus behandelt. Propheten z. B. sollen nicht durcheinander reden, sondern der Reihe nach. Wenn einem andern eine Offenbarung zuteil wird, soll der erste schweigen. Prophetengeister sind ja einander untertan. Begründung hierfür und zugleich für das Ganze: Gott ist nicht ein Gott der Unordnung, ἀλλὰ εἰρήνης d. h. eines geordneten Zustandes, eines förderlichen Miteinanders. Des öfte-

---

[149] Vgl. H. Lietzmann/W. G. Kümmel, An die Korinther I/II, HNT 9, 1949, 30 f.

ren wird großer Wert darauf gelegt, daß hier auf der positiven Seite vom Frieden gesprochen und also kein Ordnungsbegriff verwendet werde. Dabei ist übersehen, daß šalom von alters her sehr wohl im Gefüge eines Ordnungsdenkens angesiedelt ist. Allerdings kommt an unserer Stelle schön zum Ausdruck, was der eigentliche Sinn solchen Ordnungsdenkens ist: nicht die funktionslose Geordnetheit um ihrer selbst willen, in der der Mensch sich selbst oder einem selbstgefertigten Götzen dient — was im Grunde das Gleiche ist. „Friede" meint hier vielmehr zuträgliche, heilsame Ordnung, förderliche Lebensbedingungen. Für ein dergestalt Frieden stiftendes Wirken Gottes soll im Leben der Gemeinde Raum geschaffen werden. Dabei ist besonders zu beachten, wie hier für Paulus gerade nicht das eigene Wohlsein, sondern primär die für den anderen und damit für die Gesamtheit förderliche Ordnung wesentlich ist.

Für ein über die wenigen das Stichwort εἰρήνη bietenden Einzeltexte hinausgreifendes Nachdenken über konkrete Friedensverwirklichung in der gegenwärtigen Welt ist von erheblicher Bedeutung, daß im zuletzt genannten Textzusammenhang εἰρήνη und οἰκοδομή in der Sache einander weitgehend entsprechen. Das paulinische Verständnis der οἰκοδομή, des Aufbauens, ist ja in ähnlicher Weise auf das den andern und das Ganze Fördernde ausgerichtet: auf das, was einzelne oder eine Gruppe in ihrer je spezifischen geschichtlichen Situation und Bedingtheit in ihrem Sein vor Gott fördert, zu ihrem je eigenen Selbstsein vor Gott verhilft. Indem sich die Einzelnen wie die Gruppen in ihrer geschichtlichen wie geschickhaften Verschiedenheit in dieser Weise gegenseitig freigeben und darin einander fördern, verwirklicht sich die das Ganze übergreifende Friedensordnung. Friede kann sich also gerade nicht in einer ungeschichtlich gedachten Idee von Geordnetheit, Gleichheit und Einheitlichkeit und in entsprechenden, die offene Zukunft eigenmächtig vorwegnehmenden Zielprojektionen realisieren. Das wäre nur eine variierte Wiederholung des altorientalisch-römischen Ideals vom Völker- oder Weltfrieden, das — bestenfalls — alle Andersartigen dem je eigenen Ordnungsdenken und Gesetz unterwirft oder auf ihre Auslöschung bedacht ist[150]. Jenes bei Paulus mit seinem Friedensbegriff engstens verbundene Verständnis der Oikodome ist insbesondere der leitende Gesichtspunkt, unter den er einen Strauß von Streitsachen und Mißständen in der korinthischen Gemeinde stellt (1 Kor). Grundgedanke wie Art und Weise christlicher Friedensverwirklichung wären also weiterhin an solchen Textbeispielen zu reflektieren.

[150] Auch Israel partizipiert an solchem Friedensverständnis (vgl. H. H. Schmid, a.a.O. 20 f. 58—62), nicht weniger das Spätjudentum (von gewissen Differenzierungen, vor allem in der Art *wie* es zum Frieden kommt, z. B. Sach 9, 9 ff, wird hier abgesehen). Zu den theologischen Konsequenzen einer solchen Sicht und ihrer Durchbrechung vor allem in der Rechtfertigungslehre des Paulus siehe E. Brandenburger, Einheit der Kirche — Einheit der Menschheit. Eine neutestamentliche Untersuchung, Ökumenische Rundschau 19 (1970) 418—431.

Solche theologische Überwindung ist in den hier behandelten paränetischen Texten vorausgesetzt und unter dem Gesichtspunkt von εἰρήνη und οἰκοδομή abgehandelt.

Was hier aus konkretem Anlaß für die Christengemeinde bedacht wird, gilt nicht nur für sie. Denn „der Gott des Friedens" ist der Schöpfer der Welt, der ihr in Christus auf seinen Frieden hin die Treue wahrt; und der Kyrios Jesus wird ebendeshalb als der Herr der Welt bekannt. Eine solche Basis für weitere Überlegungen wäre auch darum ratsam, ja notwendig, weil hier — auch wenn das nicht ausdrücklich durch das Wortvorkommen von εἰρήνη angezeigt wird — Komponenten des alten šalom-Verständnisses aufgenommen und zugleich grundlegend vom Evangelium als der Heilsbotschaft vom Gekreuzigten[151] her kritisch verwandelt durchdacht werden.

Daß die Überlegungen in dieser Richtung weitergetrieben werden müssen, findet darin Bekräftigung und Bestätigung, wie ein ähnlicher Streitfall in *Röm 14,1—15,13* ausdrücklich auch unter dem Gesichtspunkt der Friedensverwirklichung abgehandelt wird[152]. Die drei die Erörterung beherrschenden Sachkriterien: εἰρήνη, οἰκοδομή und ἀγάπη, die im 1 Kor verstreut immer wieder auftauchen, sind hier unmittelbar miteinander verwoben und erläutern sich in der Sache weitgehend gegenseitig. Der Text läßt vor allem auch erkennen, wie die so verbreiterte Thematik des Friedens an einem konkreten Konfliktfall vom Zentrum paulinischer Theologie (Röm 1,16 f) her aufgerollt und durchdacht wird, auch wenn die dafür erwartete gängige Terminologie der Rechtfertigungslehre im engeren Sinne nur spärlich zur Anwendung kommt. Das zeigt aber auch: Eine Friedensdiskussion im Raum der Kirche, die dabei ist, die Relevanz der paulinischen Rechtfertigungsbotschaft bzw. theologia crucis dafür zu verkennen, ist drauf und dran, ihre theologische Grundlage und Legitimation zu vergessen.

Ein Teil der Gemeinde, „die Schwachen", enthält sich vom Fleisch- und Weingenuß[153] und weiß sich an das Halten bestimmter Fest- oder Fastentage gebunden (14,5 f); beides wohl auf Grund theologischer Motivation. Der andere Teil, „die Starken", hält sich von solcher Observanz befreit, ebenfalls auf der Basis theologischer Überlegung. Dieser Basis weiß sich auch Paulus grundsätzlich verpflichtet[154], doch gerade nicht in der Demonstration oder Durchsetzung eines entsprechenden Verhaltens, sofern es dem Glaubensvollzug der Schwachen zum Schaden gereichen, also den šalom ihres Glaubens gefährden könnte. Die Folgen solcher zu scharfen Gegensätzen und Frontbildungen hochgespielten analogen Konfliktfälle sind heute mindestens ebenso bekannt wie zur Zeit des Paulus und bedürfen daher nur der kurzen Erinnerung: Distanzierung, Diskriminierung und Abbruch der Beziehungen; die Schwachen „richten", verurteilen die Freien, und die Star-

---

[151] 1 Kor 1, 17 ff; 2, 1 ff und passim. Diese Explikation des Evangeliums als λόγος τοῦ σταυροῦ steht in sachlicher Entsprechung zu seiner Interpretation im Römerbrief als Offenbarwerden der δικαιοσύνη θεοῦ ἐκ πίστεως.

[152] Das Stichwort εἰρήνη taucht 3mal auf: 14, 17. 19; 15, 13.

[153] Vgl. 14, 21. 14, 2 zeigt die positive Kehrseite: Der Schwache hält sich ausschließlich an pflanzliche Nahrung. Zum Problem vgl. ThW IV 67 f s. v. λάχανον (G. Bornkamm).

[154] Vgl. 14, 14. 20 b; 15, 1; 1 Kor 8, 1 a. 4—6.

ken blicken kaum weniger verächtlich im Sinne ihres vermeintlich progressiv demonstrierten Bewußtseins auf die Zurückgebliebenen herab; im Grunde verurteilen alle einander und bleiben so die Bewährung ihres Glaubens an den *einen* Herrn schuldig, der für *alle* reich ist (10,12 f)[155].

Speziell den Starken, die durch ihre teilweise falsch verstandene und jedenfalls in falscher Beziehung praktizierte Freiheit die besorgt und ängstlich Gebundenen dazu verleiten, gegen ihr Gewissen zu handeln, wird zu bedenken gegeben: das Reich Gottes besteht nicht in Essen und Trinken, sondern in Gerechtigkeit, Frieden und Freude im heiligen Geist (14,17). Was als Segenswirkung des endzeitlich-endgültigen Herrschaftsantritts Gottes erwartet wird, ebendies gilt es bereits jetzt in der eröffneten Gegenwart des Heils am andern und aneinander zum Zuge kommen zu lassen — denn Gottesgerechtigkeit und Frieden sind wirkungsmächtig erschienen (1,16 f; 3,21 ff; 5,1 f). Alle sollen folglich danach trachten, dahinter her sein, daß solcher Friede sich konkret verwirklicht, und zwar im Sinne der Förderung des jeweils andern und so für die gemeinsame Sache[156].

Daß Paulus zu einer solch gegenwärtigen Verwirklichung des endzeitlich erwarteten Friedens ermuntert und ernstlich drängt, ist auch vom unmittelbaren Kontext her sichtlich in seinem Verständnis der theologia crusis bzw. seiner Rechtfertigungsbotschaft begründet: Die im gegenseitigen Verurteilen und Verachten an den Tag kommende Selbstgerechtigkeit und vermessene Selbstempfehlung verleugnen praktisch, daß Gott alle angenommen hat (14,3; 15,7). Den Juden wie den Heiden, den Schwachen wie den Starken hat Christus in seiner je spezifischen Eigenart und geschichtlichen Gebundenheit zum Glauben befreit (15,8 ff). Hat Christus sie alle in solcher Verschiedenheit angenommen, so ist das zugleich auch verpflichtender Grund, in solch *einer* Angewiesenheit auf denselben Kyrios und in solch *einem* Glauben für die geschichtliche Verschiedenheit Freiheit und Förderung zu gewähren (15,7). Die jeweilige, der eigenen Wahl kaum unterliegende Eigenart und Gebundenheit des Glaubens zum entscheidenden Kriterium zu machen und die andern damit faktisch zu bedrängen, bedeutet „sich selbst zu Gefallen leben" (15,1), nicht auf die Verherrlichung Gottes bedacht zu sein (15,7 b). Das Christusgeschehen hat jedoch dazu frei gemacht, dem Nächsten zu Gefallen zu leben, d. h. sein Wohlergehen vor Gott, eben seinen besonderen Glaubensvollzug zu fördern (15,2 f).

Mit alle dem hat Paulus also durchdacht, wie sich der in der Rechtfertigung und Versöhnung der Feinde Gottes eröffnete Friedenszustand mit Gott durch den in die Freiheit von Gesetzlichkeit und Selbstempfehlung gestellten Glauben auswirken kann und soll: als Gewährung von Freiheit, ja mehr noch als Förderung der in Bindung und Unterordnung unter den einen

---

[155] Dies Motiv des Reichtums läßt sich im Zusammenhang des für alle gestifteten Friedenszustandes mit Gott begreifen. Es ist zumal im Griechischen *das* Kennzeichen für die Wirkungsmächtigkeit der εἰρήνη (vgl. oben S. 27, bes. Anm. 12).
[156] 14, 19: ἄρα οὖν τὰ τῆς εἰρήνης διώκωμεν καὶ τὰ τῆς οἰκοδομῆς τῆς εἰς ἀλλήλους.

Kyrios je anders Glaubenden und Denkenden[157]. Solche Freigabe des anderen hat mehr, ja nach Voraussetzung und Intention etwas ganz anderes zum Ziel als der Toleranzgedanke. Ebendas zeigt nicht zuletzt auch das hier vorliegende Friedensverständnis, das an dem orientiert ist, was den andern dazu fördert, befreit, weiterbringt, daß er in seiner je ihm gemäßen Weise im Vollzug des Rechtfertigungsglaubens und damit zugleich des Lobpreises Gottes[158] zu sich selbst, zu dem ihm gewährten šalom im eigentlichen Sinne finde.

[157] Wo freilich gegen die Basis solcher Freigabe, eben gegen das Evangelium als δικαιοσύνη θεοῦ ἐκ πίστεως, agitiert und ihre konkrete Verwirklichung in paulinischen Gemeinden wieder außer Kraft gesetzt wird oder werden soll (vgl. insbesondere Gal 1, 6 ff; Phil 3, 3 ff), setzt sich Paulus energisch zur Wehr. Solch intolerante Außerkraftsetzung der durch das Evangelium gewährten Freiheit freizugeben, hieße die Grundlage des Evangeliums selber preisgeben. Das damit angerührte Problem bedürfte eingehenderer Erörterung; vgl. dazu etwas ausführlicher P. Stuhlmacher, a.a.O. 43 f.

[158] Ein in diesem Textzusammenhang besonders häufiger und überhaupt — gerade in der gegenwärtigen theologischen Engführung — viel zu wenig beachteter Gedanke: 14, 6 (Danksagung der je Verschiedenen); 15, 6 (die im einmütigen Lobpreis vereinten verschiedenen Gruppen); 15, 7 b (das Ziel von Christusgeschehen und gegenseitiger Förderung zum Frieden: der Lobpreis der Doxa Gottes); vgl. das Zitat 14, 11.

IX. Der Christusleib als Friedensraum in den Deuteropaulinen

Das Wissen, daß Frieden in solchem Sinne im Verständnis Christi als Ende des Gesetzes begründet ist, hat teilweise und auf ihre Art auch die sog. Paulusschule (Dtpln) bewahrt. So ist sie mit dieser Erkenntnis zu einer eigenen, in manchem freilich deutlich von Paulus verschiedenen, kritischen Interpretation der Konzeption der kosmischen Friedensstiftung gelangt.

In Eph 2,11—22 wird diese universale kosmische Konzeption in der Weise verändert aufgenommen, daß die Friedensstiftung Christi nun als Versöhnung der beiden verfeindeten Menschheitsgruppen der Juden und Heiden in der *Kirche* als dem universalen Christusleib verwirklicht erscheint. Diese Korrektur des Gedankens vom Kosmos-Leib in den der Kirche als des Leibes Christi ist bereits in dem die Friedensstiftung besingenden Christushymnus Kol 1,15 ff (speziell v. 18 und Kommentierung v. 21 ff) vollzogen worden.

Die Aussage „Er ist unser Friede" (Eph 2,14) überspannt dann nach der folgenden Erläuterung im Text zwei Aspekte: Christus ist erstens Urheber oder Stifter des Friedens. Er ist zweitens bleibender Existenzraum oder Kraftfeld des Friedens. Dabei ist εἰρήνη der Friedenszustand, der durch die Versöhnung, durch die Beendigung der Feindschaft zwischen Juden und Heiden von Christus gestiftet wurde (v. 14 f) und nun in der Kirche als Christusleib präsent ist (v. 16)[159]. Das Gesetz — oder die Gesetzlichkeit, falls man hier noch so verstehen darf — war die Ursache des Risses, der Feindschaft innerhalb der Menschenwelt. Indem das Gesetz außer Kraft gesetzt wurde und Versöhnung im Kreuzestod Christi geschah, kam die Feindschaft zu Tode und erschien der Friede für die Nahen *und* die Fernen, die Frommen *und* die Gottlosen. Sie wurden beide zugleich und gleicherweise der eine neue Mensch in dem Christusleib der Kirche.

Unter Aufnahme von Jes 57,19 wird dieser den Fernen wie den Nahen gestiftete Frieden auch als die Friedensverkündigung Christi selber bezeichnet (v. 17). Mit dem so verstandenen εὐαγγέλιον τῆς εἰρήνης als Teil der Waffenrüstung Gottes bekleidet, sind die Glaubenden in den Kampf mit den

---

[159] Dazu vgl. auch Kol 3, 15 und den oben (Anm. 144) erwähnten Unterschied zu Paulus.

die Welt beherrschenden, verführerischen Mächten gestellt (6,11 ff). Man könnte auch interpretierend sagen: in den Kampf mit mächtigen Verhaltensmustern, zumal auch mit neuen Formen der Gesetzlichkeit, die den eigenen Daseinsentwurf als Weltgesetz proklamieren und durchzusetzen trachten und dabei unter dem systemimmanenten Zwang, die selbstgewählte Zielprojektion in der Selbstverwirklichung einholen zu müssen, die Welt in immer neue Sklaverei zu stürzen drohen.

Literaturverzeichnis (in Auswahl)

Bietenhard, H., und J. J. Stamm: Der Weltfriede im Alten und Neuen Testament, Zürich 1959.

Bornkamm, G.: Art. λάχανον, in: ThW IV, 66—68.

Bousset, W., und H. Greßmann: Die Religion des Judentums im späthellenistischen Zeitalter, 4. Aufl., 1966.

Brandenburger, E.: Adam und Christus. Exegetisch-religionsgeschichtliche Untersuchung zu Röm 5, 12—21 (1. Kor 15), WMANT 7, 1962.
— Fleisch und Geist. Paulus und die dualistische Weisheit. WMANT 29, 1968.
— Text und Vorlagen von Hebr. V, 7—10, in: Nov. Test. 11, 1969, 190—224.
— Einheit der Kirche — Einheit der Menschheit. Ein Studiendokument der Kommission für Glauben und Kirchenverfassung. Eine neutestamentliche Untersuchung, Ökumenische Rundschau 19, 1970, 418—431.

Bultmann, R.: Die Geschichte der synoptischen Tradition, 5. Aufl., 1961.
— Theologie des Neuen Testaments, 4. Aufl., 1961.

Burger, C.: Jesus als Davidssohn, FRLANT 98, 1970.

Dibelius, M., und H. Greeven: An die Kolosser, Epheser, an Philemon, HNT 12, 3. Aufl., 1953.

Dinkler, E.: Art. Friede, in: RAC, Lieferung 59/60, 1970, 434—505.

Foerster, W.: Art. εἰρήνη in: ThW II, 405—416.
— Art. σατανᾶς A. 2. Das Spätjudentum, in: ThW VII, 154—156.

Geyer, K.: Theologie des Friedens. Literaturbericht zu Arbeiten aus dem Bereich der neutestamentlichen Wissenschaft, in: Frieden — Bibel — Kirche. Studien zur Friedensforschung 9, 1972, 187—199 (dort weitere Literatur).

Hahn, F.: Christologische Hoheitstitel, FRLANT 83, 1963.

Hegermann, H.: Die Bedeutung des eschatologischen Friedens in Christus für den Weltfrieden heute nach dem Zeugnis des Neuen Testaments, in: Der Friedensdienst der Christen, 1970, 17—39.

Käsemann, E.: Erwägungen zum Stichwort „Versöhnungslehre im Neuen Testament", in: Zeit und Geschichte. Dankesgabe an R. Bultmann zum 80. Geburtstag, 1964, 47—59.
— Der Ruf der Freiheit, 3. Aufl., 1968.

Kuss, O.: Der Römerbrief, 1. Lieferung 1957.

Lietzmann, H., und W. G. Kümmel: An die Korinther I/II, HNT 9, 1949.

Lohse, E.: Die Offenbarung des Johannes, NTD 11, 9. erweiterte (2. neubearbeitete) Aufl., 1966.
— Art. υἱός κτλ. C. II. Palästinisches Judentum, in: ThW VIII, 358—363.
— Art. υἱὸς Δαυίδ in: ThW VIII, 482—492.

Lührmann, D.: Rechtfertigung und Versöhnung. Zur Geschichte der paulinischen Tradition, in: ZThK 67, 1970, 437—452.

Robinson, J. M.: Das Geschichtsverständnis des Markus-Evangeliums, AThANT 30, 1956.

Schmid, H. H.: šalôm. „Frieden" im Alten Orient und im Alten Testament, Stuttgarter Bibelstudien 51, 1971.

Schmidt, H.: Frieden. Themen der Theologie 3, 1969.

Schreiber, J.: Die Christologie des Markusevangeliums, in: ZThK 58, 1961, 154—183.

Steck, O. H.: Friedensvorstellungen im alten Jerusalem, Theologische Studien 111, Zürich 1972.

Stuhlmacher, P.: Der Begriff des Friedens im Neuen Testament und seine Konsequenzen, in: Studien zur Friedensforschung 4, 1970, 21—69.

Vielhauer, P.: Erwägungen zur Christologie des Markusevangeliums, in: Zeit und Geschichte. Dankesgabe an R. Bultmann zum 80. Geburtstag, 1964, 155—169.

Westermann, C.: Der Frieden (shalom) im Alten Testament, in: Studien zur Friedensforschung 1, 1969, 144—177.

Windisch, H.: Friedensbringer — Gottessöhne, in: ZNW 24, 1925, 240—260.

Stellenregister

1. Altes Testament

Genesis
6—9: 54

Numeri
6,24—26: 13

2 Samuel
5,2: 35

2 Chronik
29: 54

Psalmen
2: 20
22: 47
72: 35
72,4: 40
72,12f: 40

Jesaja
2,2—5: 24
9,2—7: 22
11,1—9: 22
11,4f: 23
11,9: 24
26,19: 41
33,22—24: 40, 42
35,1—10: 40, 42
35,5f: 41, 44
35,10: 41, 42
41,10: 48
42,6f: 41, 42

44,2: 48
54: 55
54,7ff: 54
54,8f: 54
54,9f: 54
57,19: 66
59: 24
59f: 24
60: 24
60,4—11: 24
60,12: 24
61,1: 44
61,1ff: 43

Jeremia
23,1—8: 35

Ezechiel
34,4: 41, 42
34,4f: 35
34,23—31: 22, 35
34,23ff: 41, 42
34,25: 54
34,25ff: 41
37,24ff: 22, 35, 41
37,26: 54
37,26ff: 41

Daniel
10,19: 12

Micha
5,2: 35
5,4: 35

Sacharja
9,9: 48, 34
9,9f: 18, 22
9,9ff: 62

2. Apokryphen und Pseudepigraphen

a) Apokryphen

Tobit
12,17: 12

Saptientia Salomonis
1—5: 26, 50
3,1—3: 50
4,7: 50

b) Pseudepigraphen

Psalmen Salomos
17: 42, 45
17f: 17
17,21ff: 23
17,26—29: 23
17,30f: 24
17,32: 24
17,35: 17
17,40f: 24, 35
18,8f: 22

74